致亲爱的中国小读者

大家好！我是你们的老朋友，托马斯！

我们的小虎队又有新任务了！我是不是太直奔主题啊，呵呵……不管怎样，咱们熟人就不客套了，我先提醒你们，这次的冒险与以往相比，真的超级惊险！我们又要准备出发了，分散在各地的小虎们请注意，小虎队冲锋号已经响起，我们要再次集结，进行更刺激的探险！

你们肯定想知道这次全新的探险灵感是怎么产生的吧？几年前，我在伦敦的一家旅馆醒来，感觉好像有人在盯着我。在我的床脚边，站着三个透明的幽灵，一声不吭，只是盯着我。当时我害怕极了，我就说："请你们不要吓唬我，我需要你们的保护。"我的话刚一说完，三个幽灵就化做一团蓝色的烟雾消失了。

也许这只是我的梦。

这个梦让我感到恐惧，谁知道，这三个幽灵到底是谁呢？

在这次全新的探险里，你们可以一起追踪各类怪物，破解各种谜团，让我赐予你们勇气和智慧吧！其实，也没有什么可怕的！你说呢？

哦，对了，我们小虎队终于有自己的杂志啦！大家赶紧落泪拥抱吧，哈哈！那么请大家关注每本书后附上的充满爱意的精彩内容，更欢迎大家都来踊跃为杂志提供新鲜的好玩的内容！

再次重申，这次的冒险可不是闹着玩的，作好准备了吗？勇敢机智的小虎们，大声喊起我们的口号，向全新的未知的惊险前进吧！

Thomas
C. Dessie

欢迎你来到惊恐小虎队

在法尔肯费尔斯城堡里，住着一位名叫埃拉斯穆斯·卡茨的教授。他的专长是研究幽灵以及超自然现象。教授的儿子尤比特以及尤比特的表妹薇姬和表弟尼克在这里创建了惊恐小虎队，这个城堡就是他们的碰头地点。

你也可以成为惊恐小虎队的一员！

惊恐小虎队成员

姓名：尤比特·卡茨

年龄：十三岁

特征：头发蓬松，不论走到哪里都会随身带着他的记事本；他还有一只宠物，是一只名叫可可的温驯的乌鸦

擅长：追踪各种各样的幽灵、做饭、做家务

格言：循规蹈矩的人，总是懒于去发现新东西。

签名：*Jupiter Katz*

姓名：薇姬·施瓦茨布施

年龄：即将满十三岁

特征：戴眼镜，铅笔老夹在耳朵后面，总是嚼着口香糖，讨厌数学，还讨厌一个真正的小鬼：她的弟弟尼克

擅长：骑马、猜谜以及去神秘的古堡探险

格言：钱为什么总是不够花呢？

签名：*Vicky Schwarzbush*

姓名：尼克·施瓦茨布施

年龄：十一岁

特征：红头发，有各种各样的帽子和数不清的裤兜

擅长：恶作剧、运动、奇思怪想、惹他姐姐生气

格言：如果一只眼睛放在了桌子上，那一定是有鬼！

签名：*Nick Schwarzbach*

你的会员卡：

姓名：

年龄：

特征：

擅长：

格言：

签名：＿＿＿＿＿＿＿＿＿＿＿＿＿＿

欢迎你成为惊恐小虎队的成员

你的装备

照魔镜：在一些画面上会出现魔鬼，只有用照魔镜才能看得到。请把照魔镜贴在画面的灰色部分，慢慢地转动，魔鬼就会现形。

惊恐小虎队杂志：

杂志介绍了所有重要的信息，同时还有对付幽灵的计策、关于幽灵的笑话以及许多不可思议的神奇故事。

惊恐小虎队礼物：

每一次惊恐小虎队都会有一份让你意想不到的惊喜送给你！

小心！缠错了！

想象一下，你们将要变成木乃伊。狭长的亚麻布条慢慢地缠在了你们的腿上、胸腔上、手臂上，最后缠在了你们的脑袋上。

你们感觉到身体变轻了，变干了。

你们再也不能正常

你在惊恐小虎队里的积分

每次历险都会有积分，你要回答问题、作出决定、找出魔鬼。

用你的照魔镜放在问题下面的灰色方块上，你就能知道回答是否正确，加多少分。

把你的积分放在右图的刻度表上，就知道你在惊恐小虎队有多棒了！

准备好了吗？OK！

下面，惊恐小虎队新的一次冒险就要开始了！

当心！这可不是胆小鬼的游戏。

目录

魔鬼电车上的 13 小时

阁楼上的幽灵

魔鬼电车上的13小时

邀请信

乌尔苏拉手中的淡黄色字条在颤抖。这张在手指间被揉成一团的破纸，像枯萎的树叶一样簌簌作响。

乌尔苏拉到了目的地。在她面前，施赖施泰恩乡村别墅高耸入云。这幢房子由于它的柱子、阁楼、凸出的屋脊和黑色的屋顶，给人的印象仿佛是个旧式的、严厉的家庭女教师。

乌尔苏拉将手按压在胸脯上。她的心怦怦地跳。虽然一阵凉风掠过光秃秃的树梢，她却冒汗了。

在她再次阅读字条上所写的东西之前，她好不容易保持住镇静。这样她才敢向奇特地闪烁着的文字投去一瞥。

尊敬的小姐：

　　请允许我邀请您来参观我的陋室，在施瓦本巷9号，请您在3月31日那天晚上6点整赴约！如果您没有来，您就没有好果子吃！您一个人来，如果有人跟着，小心有大麻烦！

　　　　　　　您亲爱的
　　　　　贡多夫·冯·施赖施泰恩

起初，乌尔苏拉将信干脆扔进纸篓里。无论如何，她不愿意接受邀请。

可是随后字条在黑暗中开始发光。它从纸篓这个编织物里闪烁出淡绿色的光，如同沼泽地的光一样。其字母突然变成黑色的和威胁性的。她把信又取出来，藏在她的柜子里。明天就是 31 日，复活节前最后一天的上课日。她起初想让她的一个同学看看这封信，可后来却不敢了。

乌尔苏拉在她的班里没有女朋友。男同学们根本不把她放在眼里。乌尔苏拉个子瘦小，总是脸色苍白。她毫无自信心，从不参与开玩笑，体育课成绩是最次的。由于她通常是班上的尖子，因而常被讽刺为追名逐利的猪猡。

现在她来到这里，凝视着这幢陈旧的灰色房子。房子四周是一道高高的栅栏，由尖尖的铁杆构成。入口处左右两侧耸立着两棵古老的欧洲山毛榉，这个季节它们仍未长出叶子。

乌尔苏拉用颤抖的手按门铃时，栅栏门发出一声拉得长长的刺耳的声音。高大的正门由两个门扇组成，均涂成黑色。每个门扇上都有一条银白色的蛇向下蜷曲着。蛇头直对着来访者，眼睛是闪光的玻璃球。蛇口张得大大的，露出尖尖的、弯曲的毒牙。

乌尔苏拉寻找电铃按钮或者门铃拉锁，却白费力气。然而门开着一掌宽。乌尔苏拉用鞋的前端推开门，门扇悄无声息地向里边滑动。

"喂？我在这里！"乌尔苏拉向昏暗的大厅里呼喊，大厅在门后延伸。

"进来！"一个较低的声音应道。

"你在哪里？"乌尔苏拉想要知道。

"我在这儿，在客厅里。"高亢的声音回答道，它从远处传来，仿佛来自另一个世界。

"我想要见见您。"乌尔苏拉要求道。

"那你就继续走吧！"

乌尔苏拉迟疑不决地踏入这个空荡荡的、没有家具的大厅。地板上覆盖着腐烂的树叶。右边的一扇门半开着。一道淡绿色的光投射出来。

"我等候着呢！"较低的声音不耐烦地说道。

乌尔苏拉鼓足勇气朝门走去。她推开门，走进门后的房间。她的脚步在地下室引起回响。

乌尔苏拉勇敢地继续前进。

响起了一种移动的嚓嚓声，接着一扇门带着一声沉闷的哐当声关上了。寂静又回到了施赖施泰恩乡村别墅。数秒钟过去了。数分钟也过去了。

乌尔苏拉走进屋后正好二分十三秒，此刻响起了她的呼喊声。她的呼喊声，震动了别墅的所有楼层，充满惊恐不安的气氛。

此后又恢复了宁静。

阴森恐怖的宁静。

刻不容缓

星期六下午，尤比特·卡茨在法尔肯费尔斯堡的厨房里熨衣服。炉灶上放着一口锅，锅里用文火咕嘟咕嘟地焖着烧通心面条的卤。

自从母亲去世后，他就自己操持家务。他的父亲埃拉斯穆斯·卡茨在这方面从来就是无能为力的。他夜以继日地忙于他的研究，为好些杂志撰写文章，或者作报告。

尤比特正在想方设法熨平他父亲的一件皱巴巴的、难以弄平的衬衣，这时电话铃响了。他放下熨斗，跑到放在客厅里的电话机那儿去。

本来这座城堡称作"法尔肯费尔斯废墟"，因为城堡原有的许多宽敞的大房间已所剩无几。在多年的工作中，卡茨教授在这幢破旧失修的旧屋里布置了四个房间，其中有：一间卧室是他自己的，一间是尤比特的，一个客厅和一个工作室。

"我是尤比特·卡茨。喂？"尤比特自报姓名。

电话的另一端起初悄无声息。

"喂，谁呀？"尤比特询问道。

声音听起来很高又很绝望。它似乎从远处传来。"请你们救救我。请！"它恳求道。

8

"你是谁呀？"尤比特再一次询问。

"在为时还不是太晚的时候，你们救救我吧，把我从施赖施泰恩乡村别墅里解救出来！请求你们务必来！刻不容缓！"

线路断了。尤比特把手垂下，凝视着听筒。难道这是个玩笑？

略微有些焦糊的气味从厨房里飘来。尤比特跑开，一把抓起熨斗。这东西翻倒了，落在衬衣上。衣上烧了个洞。

此外，从炉灶那儿还飘来一团烟雾。尤比特把锅从炉上端开，端时将手指烧伤了。他一边将手指置于冷水中，一边在思考刚才打来的电话。恰在这时，电话又响起来。尤比特拿起电话，这一回是他的表妹薇姬来电话。

"我刚刚接到一个稀奇古怪的电话。是乌尔苏拉打来的！"她报告说。

"乌尔苏拉？她不是跟你上同一年级吗？"尤比特询问道。

"对。她的声音听起来非常奇怪。我们应该进施赖施泰恩乡村别墅，去救救她！"

尤比特的心跳得更快。刚才打来的电话恐怕并非开玩笑吧？

薇姬想要向乌尔苏拉的父母亲打听一下。几分钟后

她就又来通报消息了。

"自从昨天起，乌尔苏拉失踪了。出于忧虑，她的父母气得不得了。"她报告说。

"你向他们提到她来电话的事吗？"尤比特问道。

"提到了，他们想马上乘车到别墅去寻找她。为什么她向我们而不是向他们通报消息呢，这事他们无法理解。"

一个小时后，薇姬又打来电话。"惊恐小虎队在四点钟碰头！"她只说了这一句。她的声音听起来很激动，必定是发生了什么可怕的事。

惊恐小虎队的聚会地点，是在城堡的一座塔底下，也即在法尔肯费尔斯当年的刑讯室里。墙壁是湿漉漉的，散发出霉烂的气味。早先可怕的刑具，今天却有着完全不同的功能：铁钉铠甲*用作油煎土豆片和爆玉米花的储藏柜，脱白台用作工作台。

当他的表妹和她的小弟弟闯进刑讯室时，尤比特想要知道出了什么事。姐弟俩上气不接下气，因为他们骑车飞快赶来。

"可爱的乌尔苏拉昨天走进了施赖施泰恩乡村别墅。她为一个男子所注视，此人带着他的狗出来散步。"薇姬

---

* 铁钉铠甲：中世纪的一种刑具，外形像铠甲，内装铁钉。

11

气喘吁吁地报告说，"去别墅的道路由于下了雨变得相当松软。乌尔苏拉留下了明显的足迹。"

薇姬间歇了一会儿。

"啊，还有呢?"尤比特催促道。

他的表妹深深地吸了一口气，然后张开嘴。可她还来不及说点什么，又把嘴闭上了。她惊恐不安地睁开眼睛，向最后面的角落指了指。小伙子们转过身来，也怕得透不过气来。

他们并非孤独的一群。

13 小时

一个身影慢慢腾腾地举起胳膊。蓝灰色风雪大衣的袖子松软地耷拉下来，仿佛这个人没有双手似的，甚至风雪兜帽下面也似乎什么都没有。脸部只是黑糊糊的。

风雪大衣开始不声不响地向这三个惊恐小虎队成员飘来，将松软的袖子朝他们伸去，仿佛要去抓他们。腐烂水果的臭气直冲他们三人的鼻孔。

"离开！……不行！"薇姬悄声细语地说。她再也不能高声说话。

"一个遭受过折磨的人之幽灵！我从不愿意在这儿举行小虎队聚会！"尼克气喘吁吁地说，"我走了，你们可以留下来！"

可是他走不了多远。穿风雪大衣的身影一把抓住他的衣领，将他拽回来。这家伙总是一声不吭的。

"不行！放了我！不要这样！"尼克用沙哑的声音说道。他的脖子就像被绳子勒紧一样。一只冰冷的干巴巴的手擦过他的脸颊。

"够了，爸爸！"尤比特叽里咕噜地抱怨说。

幽灵放开尼克，掀开兜帽。兜帽下面露出了卡茨教授那张调皮的、奸笑的脸。

"为什么你认出了我？"他有点儿失望地探问。

"因为你乱放你的鞋。"尤比特就事论事地解释。

"埃拉斯穆斯姑父，这样做确实并不幽默风趣！"薇姬怒气冲冲地说。

教授有点儿尴尬。"到底谁这么一来就会无法镇静呢？"他说道。

"再说，你打搅了我们。我们有要事商谈。"尤比特说道。

"也许你可以助我们一臂之力。"薇姬补充说。

尤比特的父亲疑惑不解地扬起眉毛，坐到他们中间来。薇姬简单地讲述了乌尔苏拉打来的电话。"她的足迹延伸到别墅里，可她再也没有出来！"她这样结束了她的报告。

"什么？"小伙子们怀疑地装出一副怪相。

"施赖施泰恩乡村别墅，数百年来的的确确是空荡荡的，"卡茨教授插话说，"我根本就不知道有人能进去。"

"我从乌尔苏拉父母亲那里得知，别墅的门开着。她的足迹通到大房间里，在那儿终止。在房间中央终止。仿佛她变成了空气，化为乌有！"薇姬手舞足蹈地说，她就是如此激动。

"可她到底为什么到那儿去呢？"教授想要知道。

薇姬向他说明：乌尔苏拉的双亲在地板上发现了邀请信。

"这是不可能的。这样的事的确无法重演。"尤比特的父亲喃喃自语。

尤比特仔细听着："什么事重演？"

"贡多尔夫·冯·施赖施泰恩是个可笑的怪人。大约一百年前他独自一人住在别墅里，声称：没有人在里面能忍受一个小时以上。他答应给每个在里面待一个小时以上的人以巨额款项！"教授回忆道，"据说，他将别墅的整个地下室变成一种魔鬼电车*经过的魔窟。每个游人务必经过魔窟。不是坐在小车里，而是步行经过。每个角落都潜伏着新的恐怖现象。施赖施泰恩伯爵的癖好，就是引起游人毛骨悚然的恐惧。"

尤比特、薇姬和尼克屏声息气地、好奇地倾听着教授所讲的有关施赖施泰恩乡村别墅的故事。

"有一天，从一座别的城市来了三个年轻人。他们甚至想要整天在别墅里度过，并吹嘘要在那儿欢庆一次聚会。伯爵当着证人的面警告他们说：谁在屋里待十三个小时以上，自身将成为魔鬼宫的一员！"

薇姬不相信地摇摇头。"你是说变成一个怪物？这种事根本不可能发生。"

"我自己亲耳听说和亲眼读到的，你们不妨就听听吧。"教授说道。

---

* 魔鬼电车：在年市、游艺场之类场合设立供人游玩的小型有轨电车。它驶过若干充满恐怖噪音和现象的暗室，让游人受到惊吓。

"还有什么？那三个年轻人出了什么事？"尤比特想要知道。

"从没有人再见到他们。没有人知道他们出了什么事。当然啰，人们说见到令人毛骨悚然的家伙从别墅的一个窗口爬出来。据说是眼睛闪烁红光，头上长角的身影。"卡茨教授将身体向后靠，沉思地点点头。

"说实在的，关于施赖施泰恩乡村别墅，我所知道的就是这些。"

"从来没有人寻找过那三个人吗？伯爵对此事说了些什么？"薇姬激动地探问道。

"那三个人似乎没有失踪，所以也没有人去寻找他们。"教授回答说。

"还有伯爵呢？"尤比特追问道。

"问得好！我不晓得他后来怎样。但是我的工作室里有本编年史。也许我们从书中能找到一点关于他的东西。"

正当他们到上面去的时候，尤比特忽然想起什么。乌尔苏拉的电话是格外奇怪可疑的。这电话本来是不可能的，还是……

惊恐小虎队的问题：
乌尔苏拉的电话为什么不可能？

蛇咬

　　薇姬、尼克和尤比特尾随着教授走进他的工作室，教授从书架上取下一本厚厚的、积满灰尘的书。他翻看了一阵子才找到了他要寻找的东西。他将书放在桌上，三个孩子便俯身过来看书。

　　伯爵相片底下，有一段关于别墅的简短报道。

　　"你们注意听听此事！"尤比特激动地说，"伯爵从来不

在大庭广众下露面。这是他本人留下的仅有的一张相片。"

"可谁曾邀请乌尔苏拉进别墅里呢？"尼克在考虑这个问题，"这不可能是伯爵。他早已寿终正寝，见上帝去了。"

"她出了什么事？"薇姬想要知道。

"孩子们，请原谅我，我可得继续工作啦。"教授说道，"我曾使你们有点儿惊恐不安，希望你们不再生气！"

这三个孩子离开工作室，犹豫不决而又闲散无事地站在走廊里。

"我们乘车到别墅去吧。"尤比特做出决定。

其他人马上赞同了。

起程前，他们再次给乌尔苏拉的父母打电话。电话铃响了半天，却无人接听。

"他们肯定又在施赖施泰恩乡村别墅那里！"薇姬说道。

半个小时后，他们来到这座昏暗的房子。此屋由于它灰色的墙、笔直的柱子和多角的外窗台而令人感到严肃和可怕。惊恐小虎队曾指望别墅前停放着警车。

毫无疑问，房子已被彻底搜查过。但是没有人在这里。四周没有一辆汽车停放着。

栅栏门和屋的正门都半开半掩着。尤比特把头探进别墅里。其他人点点头。他们的运动鞋底下咔嚓咔嚓和咯吱咯吱作响。栅栏门与屋的正门之间的路，是烂泥和砾石的混合物。他们侧身穿过门缝。

别墅里面比外面冷。薇姬觉得有一股冷风从他们面前的楼梯吹下来。

"喂！这儿有人吗？"尤比特喊道。

远方的某处传来低声细语似的回声。

他们进来后，门咣的一声关上了。三个人惊慌地掉过头来。每个人的心都在怦怦直跳。他们两腿发软，双手冒汗。尼克一把抓住擦得锃亮的门把手，将它往下按压。他猛力摇动它，可是门却依然关着。

"让我来！"尤比特逼他靠边站，可是尼克不松手。

"让开，小家伙！"尤比特训斥他。

"我无法让！"尼克诉苦说，"我……我的手离不开门把手。"

尤比特惊慌地看到门把手是怎样的形状：一条嘴张得大大的蛇。尼克的夹克衫袖子挂在一颗弯曲的毒牙上。

"保持镇静！"尤比特说道，接着帮他脱身。当他把夹克衫从蛇牙上往外搜时，蛇嘴吧嗒一声闭上了。

"哎哟！它……它咬了我！"他喊叫起来。他大惊失色，脸色苍白："疼呀……好疼呀！"

薇姬火速去帮他忙。

铸造蛇的黄铜，在透过窗户投射进来的阳光下闪闪

发光。

薇姬后退，搜索似的四下张望。她用鞋尖翻起树叶，却没有找到她所需要的东西。

"用这玩意儿也行吧！"她喃喃自语，从她的耳朵后面把她经常随身带的铅笔取出来，将它插进金属制作的蛇嘴里。她不敢把手伸进去。她将颌往上一推，它立刻乖乖地顺从，松开了。这样尤比特可以把手抽出来，尼克也就很容易挣脱了。哧的一声，他的夹克衫袖子被划开了一个口子。

尤比特查看他的手，血倒是看不到的。"我主要是害怕，因为那金属制作的畜生突然咬住了我。"他有点尴尬地咕哝道。

薇姬摇摇头。这条蛇有极其令人惊奇的地方。

"真的，我觉得这幢房子并不阴森可怕。"她小声说，"不过，这儿……这儿有点不对劲儿。

惊恐小虎队的问题：
是什么让薇姬吃惊？

可怕的图景

"这幢房子有什么用?"薇姬咬住她的眼镜腿儿,疑惑不解地瞧瞧她的朋友们。

"看样子别墅很久以来再无人进去过。"尤比特说着,一边看看覆盖大厅地板的树叶,"看起来它并非真的坍塌了,但据说它几乎一百年来却是无人居住的。"

"我们继续走吗?"尼克询问道。

"好的,但要小心。注意看,提防着!"薇姬说道。

他们转向右边,在那儿他们看见了一道高高的双扇门。一扇半开着。这三个人朝门走去时,大家都屏声息气。他们所到之处,树叶在他们的鞋底下被踩碎了。

通常别墅里万籁俱寂,听不到任何噪声。这三个惊恐小虎队成员觉得古旧的墙壁吞噬了外面传来的任何声音。

他们走进门里,门后一片漆黑。从大厅射进来的光线,似乎被房间的黑暗吸收了。

"谁身边有手电筒?"薇姬小声问道。

尤比特说没有。尼克在皮带上也只挂上一个小小的玩意儿。他按了一下开关,一个微弱的光圈掠过地板。那块地板上也有一层厚厚的尘土,掉下来的墙皮和秋天通过破窗户飘进来的树叶。

尼克指指下面。肮脏的地上可以清楚地看出足迹。是鞋留下的印迹，大约与薇姬运动鞋同样大的鞋。

他们开始继续在房间里搜索。手电筒的光线总是对着足迹。

"往墙壁上照一照！"尤比特悄悄地说。尼克照办。

他们屏住气。看见一些令人毛骨悚然的图画。

"这个施赖施泰恩伯爵想必是通宵达旦狂饮的！"薇姬低声说道。

"可以这么说。"尤比特赞同她的说法。

尼克发出一声短促的惊叫。"这你们见到了没有……真是疯狂！"

"这……这是什么呢？"尼克结结巴巴地说。他巴不得马上离开别墅，然而此时他却不会承认，无论如何，他不愿意自己被看成胆小鬼。

薇姬后退两步。

"这是一面镜子！"她惊奇地认定。

尤比特来回走动，也很惊异。"说是一面镜子，却映不出我们的脸，而是显露出我们的头盖骨。"

"这怎么可能呢？"尼克想要知道。

"想必是某种诡计！"尤比特咕哝道。

"请查看一下！"尼克要求道。

尤比特丝毫没有兴趣走到镜子旁。他迟疑不决。

"倘若你不敢去，那就我去！"薇姬说道。

"不，我就去查看！"尤比特快快地解释说，走到镜子前面。他的骷髅头上黑糊糊的洞穴直瞪瞪地凝视着他。

他向镜框伸出双手，突然两条胳膊软弱无力。镜子的秘密必定在镜框背面。要检查镜子，得把它从墙上取下来。

尤比特走近镜子，奸笑着的骷髅头变得越来越大。这是个影像，对他来说毫无疑问。那个头颅亦步亦趋，仿效他的每个动作。

他终于能够抓住镜框了。它摸上去冰冷。他举起它，力图将它拽到自己身边。拽时从墙上拽出了点什么东西。沙子纷纷落下，一个挂钩也掉落在地上。

尤比特必定是一下就把沉甸甸的镜子举了起来。它似乎有一吨重，尤比特无法把它抓住，镜框从他的手指间滑出，摔到地上。继响亮的咣当响声之后，出现了一种噪音，仿佛鸡蛋被打碎那样。镜子玻璃裂缝的颤动，犹如闪电似的，却没有任何碎片迸出来。

尤比特目瞪口呆地凝视着破裂的镜子。尽管他的骷髅头现在由于裂缝的缘故看起来像一块拼图板，可它老是直瞪瞪地望着他。

尤比特弯下腰来想仔细观察一下镜子，可是他做不到。光线转移开了，尼克在他背后喊叫起来。

开始闹鬼

"到底怎么一回事？"尤比特怒气冲冲地问道。

尼克用颤抖的手指向房间后面的角落里一指。"那……那儿有人！"他结结巴巴地说道。

尤比特朝他指的方向看去。他大口喘气。尼克说得对，墙壁旁边站着一个人。此人身穿一件翻领长袍，背对这三个闯入者，垂着头。

现在薇姬负责对付此人。她虽然完全像小男孩们那样惊恐不安，却认为她只是站着，恐惧不安地、直瞪瞪地望着，也没有什么了不起。

"您好！您是这幢房子的主人吗？"她喊道。令她生气的是她的声音颤抖。

身着深色大衣的身影毫无反应。

"喂！您是谁？"

陌生者老是不答话。

"也许他死了。"尼克悄悄地说。

"死人根本不会那么闲站着！"尤比特叽里咕噜地发牢骚。

"可也有些民族，他们埋葬死人时让死者站着。"

尼克坚持己见。

"我们并非在一座坟墓里，而是在一幢房子里。"

29

尤比特训斥他道。尼克有时令他心烦意乱。

那个男人的大衣轻轻摆动一下。

"可见他仍活着！"薇姬轻声说道。她又向那个男人喊叫着，但他似乎听不见她的话。

"你们跟着来！"薇姬一边小声说，一边向前迈出一步。当她看清他们确实跟着来时，她才继续往前走。

男人站着，暗自点头。也许刚才他在睡觉？

"喂，我跟你说话呢！"薇姬试图再次跟他说话，可是那个人始终没有向她转过身来。薇姬不耐烦地扯扯他的大衣。

并没有咻的一声撕裂声或者另一种噪声，大衣就被撕碎了。它柔软，黏糊糊的，粘附在薇姬手指上，就好像一张蜘蛛网那样。她心惊肉跳地将手抽回，大衣开裂，直到领子。此人处于摇摆状态，随着一声尖锐刺耳的喊叫而转过身来。他举起双手，叉开像爪子一样的长手指。尤比特、尼克和薇姬一见到他的脸，不禁大声惊叫起来。

在同一瞬间，他们面前响起一种用脚擦地的嚓啦嚓啦声。两只绿眼睛在他们头上闪亮。他们旁边响起一种咕嘟咕嘟的沸腾声。一口挂在一个三脚架上的锅里正煲着绿色的汤，汤里加上了令人恶心的配料。

"离开！出去！"尼克一边喊，一边转身往回走。然而走不多远，一只手一把抓住他，将他举起。他虽总是在跑，可他的鞋几乎再接触不到地面，还是原地跑动。

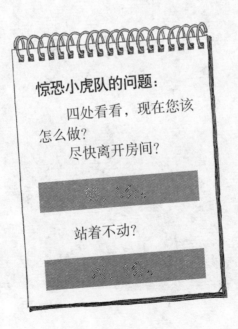

惊恐小虎队的问题：

四处看看，现在您该怎么做？

尽快离开房间？

站着不动？

通道

尼克惊魂未定地掉过头来，见到尤比特抓住他的衣领。

"松手，笨蛋！"他怒不可遏地破口骂道。

"站住，你这个胆小鬼！"尤比特吼叫道。

"你胡说八道！"尼克责骂道，"这儿真的闹鬼。我要走人！"

薇姬将双臂交叉在胸前骂道："小子，小东西，你什么时候才会有点儿长进呢？"

尼克气疯了，真想抬腿给她一脚，但随后克制了自己。他察觉到尤比特和薇姬投出的知情眼光。为什么这两个人如此不慌不乱、泰然自若呢？

尤比特强制自己在布满尘土的锅旁经过，弯下腰来。他从地上捡起一根电线。本来是两根，它们通过一个插头互相连接起来。尤比特拔掉插头，噪声顿时消失了，而当尤比特将线路又接通时，这东西继续发出嘎吱嘎吱声和咕嘟咕嘟的沸腾声。

尼克撇着嘴。这种事他怎能知道呢？真是倒霉。

薇姬从耳朵后面取出她的铅笔，沉思地咬着它。为什么古老的魔鬼电车正常运转起来了呢？建造它的时候，就根本没有电流。

尤比特似乎也怀有同样的想法。"某人必定让此装置通电了。"他说道。

他们面前那株从地上长起来的大树树干上开了一道门。门上面有两只闪烁绿光的眼睛。这道大门，样子像一张嘴，它准备吞噬每个人。一双没有毛发和皮肉的骨头手掌挥手示意走近。

尤比特鼓起勇气，继续向前走几步，见到大门后无路可走。谁走进去，大概会被关闭起来。为那双"骨手"触摸，绝非很愉快的想象。

过了一会儿，鬼魂又消失了。一切噪声都静了下来。唯独灯继续亮着。

砰——砰——砰。

"谁敲门呀？"尼克想知道。

砰——砰——砰。

薇姬搜索地四下张望。

砰——砰——砰。

门敲得更快，变得更不耐烦。尤比特冒险走到人造树干上那形如嘴的洞口旁边，将耳朵伸到深处。

"敲门声不是来自底下。"他断定说。

尼克审视这间延伸得很长的房间后墙。没有门，可见敲门声来自毗邻的房间。他将这看法对他的姐姐说，薇姬沉思地摇摇头。

"这不可能。这儿不可能再有房间。我们在围墙前站着。"

尤比特回来了，站到他的朋友们身旁。

砰——砰——砰。

敲门声越来越响和紧迫。

"尼克说得对，敲门声在墙后仍继续响着。"尤比特确认道。

"胡说！"薇姬说。

"那儿……枢……户枢！"尼克报告说。

尤比特到另一边伸手去抓积满灰尘的镜框，拽一拽它，但框中的画一动不动。

"也许安装了开启装置。"薇姬说道。

"那么该装置安在什么地方呢？"尤比特想要知道。

薇姬仔细研究那幅图画，发现一只伸进去的"手"。她拽一拽人造树的一条树枝，试图让它摆动。当她用自己全身的重量悬吊在上面时，那树枝才像一根杠杆一样垂下。画的背后响起咔嚓声。当尤比特试图将树枝向前推动时，图画翻起来了。画的背后有一座狭窄的楼梯，它陡然通到底下。每一级台阶都积满了一层厚厚的尘土。

薇姬大为惊讶。"围墙是空心的，可楼梯通到哪儿去呢？"

砰——砰——砰。

尤比特借了尼克的手电筒，顺着楼梯往下走。"也许乌尔苏拉被关在底下。"他说道。其他两个人尾随着他。

"不，乌尔苏拉不可能在下面！"薇姬反驳道。

"为什么？"尤比特想要知道。

"因为楼梯上没有鞋印。很久很久以来就没有人再使用这条秘密通道了。"

"也许她从另外一条路来到底下？也许通过魔鬼电车的入口处！"尤比特说。

楼梯的尽头进入一条较长的通道。尤比特的头几乎碰到通道的顶端。倘若他两肘往两边伸开，他就碰到两边的墙壁，这儿就是这么狭窄。

敲门声更加响了。

"喂？乌尔苏拉？你在这儿吗？"尤比特喊道。

一声重重的敲门声算是回答。

"敲门声来自通道！"尤比特说，他迈着稳健的步子继续前进。通道里气温在零度以下。墙上的水冻成了闪闪发亮的一层薄冰。口鼻呼出的气构成了这三位朋友嘴前的白雾。每隔数米，左右两边的其他通道朝不同的方向岔开。某些通道非常狭窄，最多可以侧身钻过去。可敲门声不是来自这些通道中任何一条，而是来自遥远的前方。

主要通道的尽头是一道沉甸甸的深色金属门。四条

宽大的铁门闩已推上。它们随着岁月的流逝全都生锈了。尤比特碰一下其中的一条门闩，它立刻化为淡红色的粉末。同其他门闩的接触，也遇到了同样的情况。

里面有人在绝望地敲门。

"是的，是的，我们已到了这里！"尤比特喊道。

门把手上有一层厚厚的霉菌。摸起来，它给人一种像湿棉絮的感觉。尤比特厌恶地将它抹掉，随后按下门把手。

门依然关着。

他轻轻地拽一下，可门卡住了。他使劲儿摇晃，它才乖乖地顺从了。破碎的油漆、肮脏物和沙子从各个裂缝和裂口处掉下来。如同牙齿中间咔嚓咔嚓的响声，令人难受。

门终于开了，尤比特退缩一步。他估计到某人会立刻从黑暗中向他挥手走来，感激地拥抱他。

然而这种事没有发生。

尤比特用手电筒照一照房间。

一幢吃人的房子

"这儿很久就没有人擦尘土了！"薇姬干巴巴地说。

"这里是什么地方？一个蜘蛛繁殖地？"尼克询问道。

这三个人朝一间小房间里看看，房内堆满了家具。门的对面，在另一堵墙旁边放着一张大写字台，上有一张厚厚的写字用的垫板，两边有抽屉。离写字台很近的前方，他们见到一把装上软垫、有较高靠背的皮椅子。

在墙旁边，书架一个挨一个，书架上摞起厚厚的书。此外，室内还有许多木柜，看起来好像是庞然大物。房间的正面用一些巨大的木雕来装饰，它们是粗野的鬼脸和魔鬼的头颅。

所有家具上都积满了一层数公分厚的灰色尘土。蜘蛛网又厚又密，如同窗帘，在天花板上来回晃动。

一股令人恶心的臭气向尼克、薇姬和尤比特迎面扑来，他们觉得仿佛有一团冰冷的云从他们头上掠过。

与此同时，他们将头缩起来。

"我不走进去！"尼克喊道。

"宝宝！"薇姬生气地压低声音说。

"那你去，胆大包天太太！"她的小弟弟怒斥她道。

薇姬尴尬地冷笑。甚至她也觉得没有太大的必要进入房间里。

40

"想必数十年来房间一直是关闭的！"尤比特咕哝道。

可是谁敲了门？

"乌尔苏拉到底在哪里？我们始终没有找到她！"薇姬说道。

上面传来一男人的声音："喂，这里有人吗？您通报一下，不然我就开枪啦！"

"不，绝不可以！我们在这里！"这三个人惶恐不安地吼叫起来。他们转过身，跟跟跄跄地通过通道回到楼梯处。"住手！不要关闭！"他们几次三番地喊叫道。

他们上气不接下气地来到那道秘密门，在那幅图画后面出现。那棵令人害怕的人造树上的眼睛老是闪光，使房间沐浴在绿光中。

"那儿没有人！"尼克惊奇地断定，"可是刚才确实有人呼喊。"

"也许呼喊声来自外面。"薇姬这样认为。

"不可能，要是那样我们在底下永远也听不见，必定是有人向楼梯间呼喊。"尤比特说。

薇姬深深地吸了一口气。"老实说……我现在够了。我想出去！"

"半个钟头前我就这样说了。"尼克声称，"我们赶快走吧！"

这三个惊恐小虎队成员不是走着离开施赖施泰恩乡村别墅的，而是跑着！

外面天色已经昏暗。一阵寒冷的春风掠过仍旧是光秃秃的树枝。

惊恐小虎队的问题：
有什么人跟着他们进去了吗？

这三位朋友打起寒噤来。

"我们乘车去乌尔苏拉家，看看她是否已回来。"
薇姬建议道。小青年们一致同意。

他们骑车到附近的电话亭，从电话簿中查找地址。

乌尔苏拉与其父母住在城市另外一边的一个住宅区

里。惊恐小虎队三个成员来到一所粉刷成淡绿色的房子前，按下门铃，此时刚好六点半钟。

一个普普通通的妇人出来开门。她脸色苍白，显得很忧伤。

"请说吧，什么事？"她低声问道。

"啊，是这样，我们是乌尔苏拉的学友，想要询问一下，她是否回来了。"薇姬说。

那女人垂下头。"没有，仍然没有回来。"她小声答道。

"她……她给我们打了电话。这事我曾对您讲过。我们刚才到过施赖施泰恩乡村别墅，但是没有找到她。"薇姬报告说。

"谁走进别墅，他永远回不来。这你不晓得，姑娘？"乌尔苏拉的母亲问道。

"我们只听说过，倘若人们在那里待了十三个小时以上，就会变成怪物。"尼克解释道。

乌尔苏拉的母亲扭歪着脸，仿佛她忍受着可怕的疼痛。"我们可怜的孩子呀，毫无希望了！要是我们抓到那个将她引诱进鬼屋的家伙，那就有他瞧的！"她的声音听起来突然很凶恶，带有恐吓性。

尤比特防御地举起双手。"为什么您这样瞧着我们？我们又不是那家伙嘛。"

那女人委靡不振，几乎瘫倒了。"你们走吧！一切都没有意义！"她一边有气无力地说，一边把门关上。

当他们返回停放自行车的地方时，尼克小声地问道："你们相信……有没有像吃人的房屋这类事情呢？我不得不老是想起那棵张嘴的树。也许乌尔苏拉被吞吃了！"

尤比特和薇姬真想要放声大笑，可随后他们还是作罢。在施赖施泰恩乡村别墅里，什么事都是可能的。

也许它真的是一幢吃人的房子呢。

不要抛弃我

八点半钟薇姬家的电话响了。因为她的父母在电影院里，她拿起听筒。

声音像来自远方，沙哑而微弱："你们抛弃了我！"她抱怨说，"你们能够救我，可为什么你们无所作为呢？时间紧迫。你们来！求求你们啦！你们拉我一把吧！"

"乌尔苏拉，是你吗？"薇姬激动地问道。她的喉咙突然像发干了似的。

"请求你们来！求求你们！"随后电话线路中断了。

薇姬用颤抖的手指拨打尤比特的电话。他马上接了电话。

"我们务必再到别墅去一趟。乌尔苏拉又来电话了！"

尤比特举棋不定。"时间晚了。"他提请考虑。

"那又怎样？你愿意让她待在那幢鬼屋里吗？我们务必救助她。车到山前必有路，办法肯定有，不然她不会给我们打电话！"薇姬怒气冲冲地喊道。

"可没有电话，她怎能打电话呢？"尤比特想要知道。

"也许别墅里还是有一部电话。或者她有神奇能力吧，使事情成为可能。你从未听说过有这样一些人吗？他们心想事成，只是凭自己的想法就可以使钥匙变弯曲。"

"我去！"尤比特允诺道。

这一回他带上乌鸦可可。两年前，尤比特在雪地上发现了这只乌鸦。它当时翅膀受了伤，尤比特把它带走，照管它，使它恢复健康。很快就表明，它并非一只普通的乌鸦。它驯服，在模仿声音和各种噪声方面很有才能，除此之外，它还有能够预感超感觉、超自然事物的第六知觉。

黑云飞速掠过夜空，此刻这三个惊恐小虎队成员来到了别墅。两天前，月亮是圆的。它在云间浮现，让四周沐浴于灰白色的月光中。

"现在怎么办？我们该在哪里继续寻找？"尼克想要知道。他戴一顶厚帽，把它深深地拉到脸上。

在夜间，别墅仿佛有了一张面孔。二层上的窗子，看上去像是自负地打量着每个来客的眼睛。

"我不愿再进去！"尼克自言自语道。

"别说话！"薇姬压低声音说。

屋里传来低低的抽噎声。

他们穿越一条泥泞路，朝着别墅的正门前进。门依然开着。尤比特推开它，朝昏暗的大厅里边喊道："乌尔苏拉，你在哪里？"

你在？你在？你在？回声悄悄地说。

他仅仅听到一声绝望的放声痛哭，这算是他得到的

回答。

"乌尔苏拉，是我们。你在这里吗？"薇姬呼喊道。

这里？这里？这里？回声问道。

抽噎声停止了。

"你们还是不愿意进去？"尼克失魂落魄地问道。

"我们……我们也可以把乌尔苏拉的父母请来。"
薇姬开窍了，突然想起这个主意来。

尤比特似乎根本就没有注意听这两个伙伴说话。

他慢悠悠地，却又小心谨慎地步入大厅。咯噔咯噔的脚步声，在夜间会通过回声变成沙哑的窃窃私语声。

"哎呀呀呀！"薇姬和尼克听见尤比特大声呼喊。

他站在那儿，双臂警惕地举到眼前，仿佛防御什么东西似的。难以看清大厅里所发生的事，天色太暗了。

真的闹鬼

"就因为如此你就这样大喊大叫？"薇姬痛斥道。如同她的弟弟始终站在门口。

"好吧，胆大包天的女人，那你就动身去找找乌尔苏拉吧！"尤比特对她咆哮如雷。他大步往回走，推了薇姬一把。"去，快去，或许你现在双腿颤抖了？"

尼克见到他姐姐那副魂不附体的神情，不禁奸笑起来。

薇姬很快又能战胜自我，控制自己。她将头发甩过肩膀，说道："你这样吓不倒我。我乐意负责此事。"

一种用爪子抓物的微弱声音，从一间房里传来，房内有个通往魔鬼电车的入口处。

这三个惊恐小虎队成员侧耳静听。

"手电筒！"薇姬生气地用压低的声音对她的弟弟说。尼克这一回机灵地带来了一个较大型的手电筒。他把它扔给薇姬。她用颤抖的手指按一下手电筒的开关，往房间里照一照。

她大声喊叫，喊叫声经久不息。

薇姬连忙后退，想要逃之夭夭，却因为地面不平绊了跤，摔倒了。她坐着往后挪动，目光总是盯着怪物，怪物高举双臂向她示意。

"滚开！走开！"她本想喊叫，却从她嘴里只发出一

声可笑的较沙哑的声音。

"Rooaaaaa!"怪物朝她扑来。尖尖的爪子碰到她的脸蛋，抓她的脸皮。

薇姬试图抬脚踢冒犯者，但是她的脚突然变得有数吨重，无法踢起来。

小男孩们此时此刻在哪里呢？他们可不能干脆丢弃她呀！

怪物的爪子伸出来边抓且拽她的头发。其长袍宽大的袖子像一条麻袋似的落到她的头上。薇姬感到自己要窒息了。长袍料子的恶臭令人难以忍受，比腐烂的肉和死鱼合起来还要难闻。

惊恐小虎队的问题：
他们为什么不是单独的？附近有几个人？

怪物突然喊叫起来。这一回不是气势汹汹，带威胁性的，而是惊恐不安地喊叫。

薇姬听见了可可激动的呱呱叫声。怪物放开她，把袖子拖走了。她见到怪物试图防御乌鸦，乌鸦用喙和爪子袭击它。

"不要袭击！飞开！"怪物呼喊道。

薇姬的心跳得更加快。"乌尔苏拉？"她探询地呼喊道。

怪物狼狈逃窜，将目瞪口呆地站在门口的小男孩们撞到一边，闯过栅栏门溜掉了。

"这……这是乌尔苏拉！"薇姬呼哧呼哧直喘气。

"乌尔苏拉？"尤比特使劲儿地摇摇头，"不可能……没有这样的事。"

"还是有的！谁在里边待了十三个小时以上，就变成怪物！"薇姬低声细语道。

"不对，她肯定在大厅里！"尼克说道。

可大厅里确实无人。那漆黑的身影，那棵树和那口锅无声地和一成不变地在那里，好像引不起特别恐惧。

"为什么她起初抽噎，后来袭击你呢？"尤比特感到奇怪。

薇姬耸耸肩膀。

这三个人心惊胆战而又垂头丧气地离开这座古老的

别墅。

可可在等候着他们。它在一根较低的树枝上栖息，激动地拍打翅膀。此外还大声呱呱鸣叫，以示警告。

"行，不必多鸣叫了，你是顶呱呱的！"尤比特称赞它，用他总是装在口袋里的果仁喂它。

可可狼吞虎咽地吃光果仁，却无法平静下来，仿佛有什么东西令它非常忧虑不安。

"你怎么啦？"尤比特问它。

尼克抓住他朋友的袖子悄悄地说道："我们……我们在这儿并不是孤立的！"

一次恶意的玩笑

尤比特从近处查看自行车，用双手理一下他那蓬乱的头发。

"这些自行车我还是认得的。"他喃喃自语。他常常在校园自行车停放处见到它们。自行车停放在这里，这是什么意思呢？难道有人在这里要捉弄我们？

"这些自行车是克文和罗曼的。"尼克说道。他自己爱好漂亮时髦的自行车，这两辆车他总是格外喜欢。

"我们知道你们在这里。你们出来吧！"尤比特呼喊道。

薇姬两手叉腰，眯起眼睛。"这两个家伙如此吓唬我们，有他们瞧的！"

响起了簌簌的声音。两个男孩在栅栏旁的一片矮树丛后面。两人面有难色。

"你们从哪儿搞到怪物服装的？"薇姬责问他们说。

男孩们举起双手，仿佛他们在同警察打交道似的。"怎……怎……怎样一件怪物服装？"克文问道。

"就是你们先前用来吓唬我那件！"

"那……那不是我们干的。我们……我们也曾见到过怪物。它……它沿着马路跑下去了。"罗曼说。他的声音颤抖，并非装出来的。

"你们在这儿到底要干什么?"尤比特想要知道。

小男孩们尴尬地瞧瞧自己已粘上了一层黏土的跑鞋。"我们……就是说……我们今天下午给你们打了电话。"克文坦白交代说,"我们也悄悄地塞给了乌尔苏拉一封邀请信,请她到乡村别墅里来。是用发光油漆写的,以便信在黑暗中闪光。

罗曼继续说:"早些时候,我哥哥早些时候把别墅里这些幽灵器具修好。因为他买了这幢房子。我们想吓唬一下乌尔苏拉,吓得她魂不附体。她不让我们抄数学作业,她为此要付出代价。"

"你们头脑大概不正常吧!"薇姬气呼呼地说。

克文和罗曼怒目而视,抿住嘴唇。

尤比特向他们投去一瞥,这一瞥意味着:你们忘了她吧。因为他绝对想要知道还会发生什么事。

"我们曾将一个无线电收发机放进客厅里。"克文继续说,"从屋前我们的隐藏处,我们可以通过敞开着的门看见她。她本人的声音从无线电装置发出。"

小男孩们接着谈到乌尔苏拉的呼叫。

"我们起初想,她可能是摔倒了。我们走进别墅,可乌尔苏拉离开了,消失了。"罗曼报告说,"当她第二天仍未回家的时候,我们就把你们引诱到这儿来。我们知道你们喜欢窥探他人的秘密。"

尼克双臂交叉，自豪地说："我们是惊恐小虎队成员，我们探究无法说明的事件。就我们的工作而言，窥探一词，用得不当。"

薇姬嘲讽地瞧瞧这两个人："为什么你们不亲自搜查一下别墅？"

两个人都默不作声，可答案是清楚的：他们没有胆量。

"今天晚上你们又打了电话吗？"尤比特想要知道。

克文和罗曼都摇摇头。

"照这么说，那必定是乌尔苏拉打了电话。"薇姬低声细语地说。

"这就是说……她就是怪物？她真的变了吗？这不愉快的意外事件是真的吗？"克文吓得魂不附体。

"好像如此。"尤比特沉思地喃喃自语道。

可可在他背后呱呱鸣叫，在树枝上跳前跳后。

"好啦，不必再鸣叫了，一切都正常！"尤比特对它喊道。可是可可并不愿意引起尤比特对这两个男孩子的注意。它从不想这样做。对它来说，更多的是别的事情。

62

惊恐小虎队的问题：

是什么让可可焦急？在图上的哪个部分能找到答案？

莫名其妙的失踪

第二天，惊恐小虎队再次乘车到乌尔苏拉父母家。乌尔苏拉的母亲又出来开门。她的双眼哭红了。她把一块手帕按在脸上，擦掉眼泪。

"她回来了吗？"尤比特小心谨慎地探问道。他已预料到会有怎样的回答。

妇人默默无言地摇摇头。

"您没有听到她的一点儿消息吗？"

再次怏怏地摇头。

"这真是可怕。"薇姬悄悄地说。

"要是我抓到那个对我们什么事都做得出来的家伙，那……"乌尔苏拉母亲攥紧拳头，气势汹汹地举起来。

"嗯……提个问题，也许听起来令人奇怪：昨天夜里，这儿有个……生物，您注意到了吗？"尤比特想要知道。

乌尔苏拉母亲眉头紧皱。"生物？什么样的一个生物？"

"蓬乱的皮毛，深色的大衣，头上长角！"尼克描述道。话音刚落，他就知道自己失言，犯了一个错误。

妇人咆哮如雷，训斥道："你们想要把我当做傻瓜吗？滚开！"

话音刚落，她就在这些年轻的来访者眼皮下砰的一声把门关上了。

这三个人整个下午都在刑讯室里度过。尤比特从他父亲那里借出了几本书和旧的编年史，他希望从中找到重要信息。

"还有呢？就这些？你们还知道什么？"末了薇姬探问道。她揉揉疲乏的眼睛。

尤比特深深地叹了口气。"可惜实际上没有发现什么。"

尼克虽竭力查找，却也没有发现什么。

尤比特将双臂交叉于脑后，身体往后靠。"为什么人们在一座陈旧的别墅里能够变成怪物呢？"他大声地询问道，"事情当时是从这三个年轻人开始的。"

"说实在的，此后就再没有关于类似事件的报道。无论什么地方，伯爵，还有他的别墅都没有被人提及！"薇姬断言。

"嗨，我现在知道了，谁可以继续帮我们的忙！"尤比特叫嚷道。他一跃而起，跑到上面去。他得打几次电话，直到他正要寻找的人终于来接电话：罗曼的兄弟。他叫迪特尔，一点也不友好。

"我想将这所破旧的房子改建为一个迪斯科舞厅，"他声称，"一个产生恐怖效果的迪斯科舞厅。"

"您知道施赖施泰恩伯爵出什么事了吗？"尤比特询问道。他焦急不安地等待回答。

"不知道，这事谁也不清楚，确实令人毛骨悚然，"迪特尔讲述道，"那三个年轻人据说变成怪物后，再没有人见到他们。他们消失数个月后才引起注意。房子被撬开，被搜查，可伯爵不在场。他绝对没有出门旅行。橱柜里塞得满满当当的，箱子依然在。可他也不是躺在什么地方死去，也不是干脆离开了。仿佛他化为空气一般。当然也有些人声称，他是这棵怪树旁的怪物。两周前我修复了这棵树，我可以向你们保证，它只不过是用旧材料、木头和几根金属杆做成的！它仅仅是一种开关，以便让妖魔鬼怪活动起来。"

伯爵失踪以来，别墅有过多位主人。可是没有人愿意在里面居住。大家都只做最必要的事，以防房子倒塌。

"好吧，现在你不要再打搅我了，我有事要做！"迪特尔不打招呼就放下了听筒。

当时别墅里发生了什么事？为什么伯爵消失了？那三个怪物事实上就是那三个想要以行动来证明自己胆量的年轻人吗？

尤比特为晚餐煎了土豆烤饼。他在配菜柜前品尝一下烤饼，突然咳嗽起来，把一口饼吐进水槽里。因为尤比特在煎饼时简直是心不在焉，烤饼咸极了。

"来，我们去吃比萨饼！"他父亲邀请他。

尤比特立刻同意。他向他的父亲讲述了施赖施泰恩乡村别墅里发生的事和乌尔苏拉的变化。

"你说这个怪物是乌尔苏拉，你们有证据吗？"埃拉斯穆斯·卡茨询问道。

"听见了她的声音。"尤比特叙述道。

教授用食指轻擦眉毛。"这件事有点儿不对头，"他

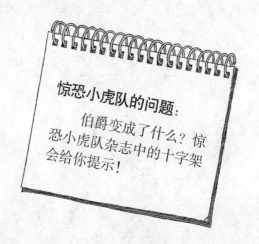

惊恐小虎队的问题：

伯爵变成了什么？惊恐小虎队杂志中的十字架会给你提示！

自言自语道，"倘若你同意，我想明天同她的父亲谈谈。"

尤比特没有什么可反驳的。

他们走出比萨饼店时，一阵冷风扫过胡同。途中只遇见少数几个人。大家弯着腰跑，把衣领翻起来。教授打开车门，尤比特蹦跳几下，以保持身体暖和。

突然他像发愣似的站住。

惊恐小虎队的问题：

是什么让他惊讶？

68

一张熟悉的面孔

尤比特眯上眼睛又张开。不，他并没有看错。

"爸爸，你必须看看，瞧瞧对面那儿！"他上气不接下气地说道。

卡茨教授正要上车。由于他忍受骶骨部剧烈疼痛，他感到直起腰来也不容易。

"到底有什么事？"他唉声叹气地问道。

尤比特对他说，他看见了谁。他父亲一边呻吟，一边猛然站起来，朝着尤比特指的方向看去。太迟了，那个男人已离开了。

"你的幻想在捉弄你！"埃拉斯穆斯·卡茨说，"你只想着伯爵，所以你觉得他无处不在，每幢房子的任何墙角都有他。"

尤比特坚持说：他确实看见了施赖施泰恩伯爵。

整个星期一教授都在忙于准备一个关于在加拿大森林出现狼形人妖的报告。傍晚他才头一次走出他的工作室，连连打哈欠，伸展着四肢。

"你不是要到乌尔苏拉父母处去吗？"他的儿子提醒他。

"对，今天晚上我就去！"他的父亲答应他。

等他乘车出发后，尤比特走进客厅去看电视。

他正要打开电视机，这时住宅大门响起了敲门声。

"这究竟是什么意思？我们不是有门铃吗！"他咕哝道。

尤比特去开门，恐惧不安地猛然后退。在屋外淡黄色灯光下站着施赖施泰恩伯爵。就是他，毫无疑问。

伯爵点点头，彬彬有礼地开口说："晚上好，年轻的朋友。"

"为什么……您活着？"尤比特结结巴巴地说。话音刚落，他就觉得自己提的问题格外愚蠢。

伯爵对此没有反应。"我可以邀请你到我的别墅去吗？我敢打赌，你在那儿坚持不了一个多小时。"

伯爵的断言与他父亲曾描述的完全相同。与早先的打赌别无两样。

"您真是施赖施泰恩伯爵吗？"尤比特终于把心里的话吐了出来。

男人咧嘴笑了。"年轻的朋友，你怎么会有这个想法呢？照这么说，我必定是个精灵啰。我当然是他的后裔。"

他向尤比特投去为这个年轻人所憎恨的一瞥。这时尤比特感到自己是个幼小的傻乎乎的孩子。

"可为什么要打赌？"尤比特问道。

伯爵忽略他的问题。"握手就是表示同意，你握还是不握？"

"握！"尤比特说道，虽然说得有些勉强。他伸出手来，可是伯爵却后退一步，不握手。

"回头见！"他只这么说，说完就大步流星地走开。

走了几米后，他消失于黑暗中。

尤比特给薇姬和尼克打电话时，他的心怦怦直跳。"你们可以离开家吗？我独自一人不敢到别墅去。但我确信，我们今天夜里将查明那里出了什么事。"

"我们的父母有客人。我们可以从家里溜出来，但一个半小时内我们务必得回来。"薇姬说道。

正当这三个孩子骑车朝施赖施泰恩乡村别墅方向奔去时，卡茨教授恰好到达乌尔苏拉家的房前。他按门铃，听见了脚步声。乌尔苏拉母亲来开门。

埃拉斯穆斯先做自我介绍，说明来意。"我乐意帮您

的忙!"他毛遂自荐。

乌尔苏拉母亲带着呆板的神情看看他。"您也擅长驯服怪物吗?"她想要知道。

"请原谅,您说什么?"教授以为自己听错了。

"您跟我来!"妇人领他到一道门前,打开它。

教授向房间投去一瞥,奇怪地皱起眉头。这儿出了什么事。

危险出现在楼梯尽头

尤比特来到施赖施泰恩乡村别墅时差点冻僵了。他忘记戴手套了，他的手指摸起来像冰锥似的。

薇姬和尼克尚未到达。当然，他们住得老远，骑车时间必定长些。

"我们在这儿做的事真是荒唐。极其荒唐！"尤比特暗自低声说道。

"尤比特，救命呀！……快来！……解救我们！"薇姬的声音突然从屋里传出来。

尤比特举目环视四周。她的自行车没有停靠在栅栏旁。因此她根本不在这里。那为什么他听见她的声音从里面传出来呢？

"尤比特！来，快来呀！"尼克悲叹道。

从两人的声音听起来，仿佛他们离得很远，在这幢有众多旧屋的房间中的某一间里。

出了什么事？他们遭到了袭击？谁是那个样子像伯爵、叫人容易搞错的男人？

"救命呀！"薇姬和尼克呼喊道。他们的声音听起来是绝望的，充满恐惧的。尤比特毫不迟疑，火速冲进屋里。

"你们在哪儿？"他呼喊道。

你们？你们？你们？发出了回响。

"我们在上面!"薇姬答道。

尤比特马上向上面冲去。尘土和霉烂物构成了楼梯上一张柔软的厚地毯。

在楼梯上方尽头处，一条长长的通道从这儿开始。这里一道门挨着另一道门，头一道门开着。尼克和薇

惊恐小虎队的问题:
　　尤比特应该发现什么东西，有什么不对劲?

姬的声音从这儿传出。尤比特闯进房间，吓得急忙后退。

"不！不，绝不可以！"他气喘吁吁地说道。

然而为时晚矣。

埃拉斯穆斯·卡茨浓密的眉毛上下跳动。在他面前，一位姑娘坐在一张沙发上，她一定与薇姬同岁。姑娘扎两条细细的辫子，穿一身倒不如说是旧式的衣裳。

"你看上去不太像一个怪物！"教授说，他想不起什么有点儿才智、风趣的话来，"你是……乌尔苏拉吧？"

"是，她是乌尔苏拉。"母亲代替她女儿回答说。

"这么说你没有变成为一个怪物喽？"教授说道。

乌尔苏拉摇摇头，她的辫子跟着摆动起来。

"我刚才所指的怪物，是您的儿子和他的朋友们！"妇人尖刻地说。

"妈妈，你可别这么说，尤比特和薇姬肯定与此毫无瓜葛。"乌尔苏拉急忙说道。

卡茨教授不停地用手摸摸头，说道："很遗憾，一句话我也听不懂。"

乌尔苏拉母亲变得和蔼一些了，她给他让座。

"我在学校里没有朋友，我总是受人讥笑。见到那封莫名其妙的邀请信时，起初我吓了一大跳。"乌尔苏拉低声地叙述道，"但随后我偷听到克文和罗曼的谈话。

75

因为在女生厕所里可听见男生厕所里所说的话。他们哈哈笑了，因为我肯定会上这封信的当。"

她的母亲继续讲述道："乌尔苏拉把一切都一五一十地对我们说了，我们有了个主意，就是以对手用来对付我们的手段，来反击对手，也就是说，以其人之道还治其人之身。"

卡茨教授茅塞顿开，恍然大悟。"因此，乌尔苏拉就走进别墅，喊叫了，然后悄悄地又溜出来。现在其他人会突然害怕起来。"

乌尔苏拉点点头。"昨天我也给薇姬打了电话，再次把她引诱到别墅去。我知道，他们会去寻找我，而克文和罗曼肯定会获悉此事。"

"所以你就把自己装扮成怪物！"教授补充说。

"可是昨天晚上别墅里情况有点不同。我总觉得有人在监视我。"姑娘叙述道。

她的母亲把手放在她的肩膀上。"毫无疑问，这不过是你的幻觉而已。"她微笑着说。

埃拉斯穆斯·卡茨微微一笑。"真叫我佩服，年轻的女士。即使您把我儿子的思想搞得糊里糊涂，我也认为你办事稳当。他在家里等候着我，我把我在这儿所了解的情况告诉他，他会很高兴的。"

在这期间，尤比特躺在一口棺材里。用来垫棺材内部的红色料子，几乎所剩无几。

棺材盖子随着一声拖得长长的嘎吱嘎吱的响声徐徐垂下。

"不!"尤比特喊道，同时试图将盖子顶起来。可是他的力气不够。

棺材

"他的自行车停放在屋前，可他在哪儿呢？"尼克询问道。

薇姬走进了大厅，让手电筒的光圈掠过各面墙壁。情况依旧，仿佛丝毫没有变化。

尼克让他的姐姐注意楼梯尘土中的足迹。

"他到楼上去了，可为什么呢？"薇姬觉得奇怪。

尼克将双手合并成一个漏斗形，呼叫道："喂，尤比特！我们在这儿儿儿儿儿！"

这儿儿儿儿，这儿儿儿儿，这儿儿儿儿！低低的回声仿佛从各面墙壁传出。

"这儿儿儿儿儿儿儿！"某人从背后向薇姬耳语。

她惊慌失措地转过身来。

她后面站着他：施赖施泰恩伯爵。更确切地说，是他的后裔。他从哪儿突然到来的？

"对不起，我无意吓唬您，"他道歉说，"您的朋友已在二楼上等候您。"

"为什么他在上面？"尼克怀疑地问道。

"您等着瞧吧。"伯爵带着神秘的微笑表示。他示意这两个孩子走在前头，带领他们到楼梯口。他们拾级而上。

有一次，尼克掉过头来，可伯爵不耐烦地示意他朝前看。他有什么东西要隐瞒吗？

薇姬与尼克几乎同时感到事情不妙，而且他们俩也几乎同时止步不前。

"继续走，继续走！"那男人驱赶他们。

"尤比特，你说话呀！"尼克呼喊道。

上面无人回答。

"他根本就不在那里。您说谎！"薇姬训斥那个男人道。

他不高兴地微笑一下，压低声音说："这与事情有何相干？这一时刻的到来，我期盼了那么久！"

"离开！"薇姬悄悄地对她弟弟说。

姐弟二人撒腿就跑。伯爵把胳臂伸开，一下子就逮住了他们。他们在推撞他时听见他的衣服里面有刷刷的响声，仿佛有人把羊皮纸揉成一团似的。

"哦，不行，给我上去！"他厉声厉色地说道。

薇姬和尼克设法自我解放，可伯爵用他那铁手牢牢地抓住他们。他的手干巴巴的，皮肤龟裂。它们冰冷，使人感到痛苦难受。

"不，绝对不行！"这两个孩子大喊大叫。

伯爵拖他们到上面，拖到第一道门前。他放开尼克一瞬间，以便开门，但随即又抓住他。姐弟俩的心跳片刻间停住了。他们看到自己面前石板小平台上放着三口棺材。一口已盖上，另两口开着。

在已盖上的棺材盖上写着：尤比特·卡茨。

"你们给我进去，我需要同伴！"男人叫嚷道，催逼薇姬和尼克进棺材里，并且将盖子盖上。他们四周顿时漆黑一团，这时他们听见他恶魔般的笑声。

起初，恐惧使这两个孩子完全瘫痪了。他们丧失了思维的能力。他们的胳臂和腿也失去了知觉。

棺内的空气令人窒息。朽烂红绸的许多碎片飞来飞去。它们堵塞鼻孔，使这两个人咳嗽起来。不过，咳嗽也有益。它使僵硬稍稍得到缓解。

"尼克，你能听见我说话吗？"薇姬喊道。紧接着，她满嘴都飞进了令人恶心的尘土，粘在舌头上，叫人感到口干舌燥。

"薇姬，我在这儿呢！"尤比特通报说。

"我们务必从这些东西里出去！"薇姬悲叹道。

"不行。棺材盖已封闭！"尤比特说道。

"我要出去！"薇姬听见尼克沉闷的喊叫声。他用拳头猛击棺盖，这样做，他坚持不了数秒钟。棺材的内壁仿佛向他靠拢，盖子下沉，底部上升。他像躺在一个压榨器里。他会被压扁，压坏。他得出去！出去！出去！

"出出出出出出出出出出出！"

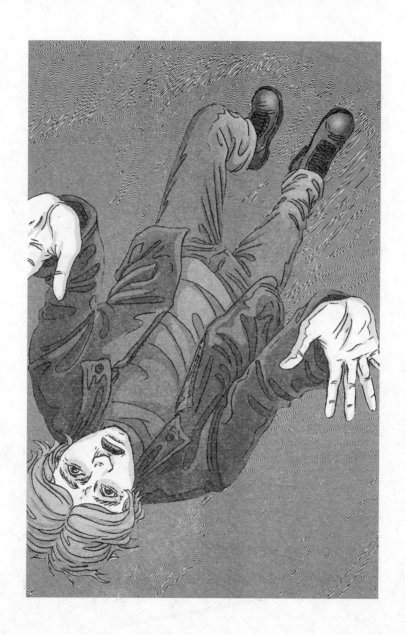

尼克用尽全身力气，声嘶力竭地吼叫，但无济于事。黑暗似乎在向他集中，使他透不过气来。

尤比特感到寒冷，同时却又出汗。他浑身发抖，费了很大的劲儿才使双手差不多平静下来。他急切地探索棺材内部的方方面面，寻找开盖的途径。

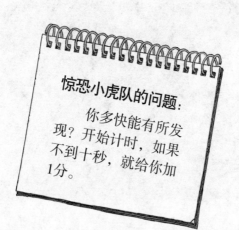

惊恐小虎队的问题：

你多快能有所发现？开始计时，如果不到十秒，就给你加1分。

镜子引起震惊

响起了咔嚓咔嚓的声音，可棺材盖仍然关闭。虽然尤比特使劲儿托举，却未能把它举起来。

"不，哪有这种事！"他悲叹道。

他再次操作开关的手柄，又咔嚓咔嚓地响起来，这一回他成功了，终于把棺盖打开。房间的地板上有薇姬和尼克带来的手电筒，它仍然亮着。

他拿起手电筒，走到黑色棺材处，它停放在他那口棺材的右边。里面传出尼克绝望的声音。他几乎要大哭大叫了。

尤比特旋动骷髅头形的金属开关，把尼克解救出来。这个小男孩带着通红的头爬出来，偷偷地擦擦脸。谁都不该看见他眼里的泪水。

他们把薇姬从棺材里救出来后，三人一起冲向门口。门没有关闭，他们顺利地走到通道上。

不出所料，他们周围产生了啪嗒啪嗒和砰砰的响声。

"窗子，护窗板！"薇姬气喘吁吁地说。

护窗板像被魔鬼之手关上了。

大厅下面，正门砰的一声关上了。

他们头上响起了一阵响亮的恶魔般的笑声。

"你们永远也离不开这幢房子。我需要同伴。我独自一人待的时间太长太长啦！"他那响亮刺耳的声音响遍各个房间和通道。

惊恐小虎队的三个成员紧紧地挤在一起。他们不禁打了个寒战。这个男人想要他们干什么？他是谁？为什么他的长相像施赖施泰恩伯爵？

"我们一定要走出这所房子！"薇姬激动地小声说。

"不，无论如何我要留在这里，直到我变老了，头发变白！"她的弟弟讽刺地说。

"这你不必久等！"伯爵雷鸣般的声音预告说。

"这……这是什么意思？"薇姬问道。

她没有得到回答。

别墅又静悄悄起来。外面没有声音传进来。

"我们要……要搜寻一下各个房间吗？"尤比特低声细语道，"也许有一扇护窗板没有完全闭合呢，我们可以从窗口爬出去。"

其他人都同意。他们下楼向通道走去时紧靠在一起。最初在旁经过的几道门都关闭了，无法打开。他们终于碰上一道开着的门，走进门后面的房间里。

那是一间陈旧的卧室。在一个角落里有一张带华盖的床。老鼠把床上用品咬了许多拳头大的洞。

床旁有一张带有一面大镜子的梳妆台。薇姬朝镜里瞥了一眼，不禁伸出自己的舌头来。

镜子里她的影像同样伸出舌头来。

　　薇姬把舌头又缩进嘴里。可影像老是向她显示舌
头。薇姬目瞪口呆地凝视着她的脸。脸开始变化了。

　　突然，她的额头和脸颊上出现道道皱纹。起初是许
多细小的皱纹，随后却变成又大又深的皱纹了。她的脸
蛋松弛地奔拉下来。眼睛底下形成了众多厚厚的泪囊。
头发变得越来越淡黄和稀薄。

小男孩们对她不屑一顾，因为他们无法理解，为什么薇姬要久久凝视着镜子。

"哦，不！哪有这样的事！"尤比特叹了一口气。

镜中一个老态龙钟的女人的脸朝着他看。那就是年迈苍老的薇姬。

薇姬发出一声惊叫。

她那老态龙钟的影像同样惊叫，但是叫声尖锐得多，高得多。

薇姬摸摸自己的脸，又摸摸自己的皮肤，它们既光滑又柔软。

薇姬仍然边喊边从房间冲到通道去。尤比特和尼克紧跟其后。

他们头上响起那男人尖锐刺耳的狞笑声。不论在什么地方，总是看不见他。

薇姬来来回回照亮通道。

"你要到哪儿去？"尤比特询问道。

"隐藏起来，关起来，直到天亮！"薇姬异常激动地、压抑着把话说出来。

惊恐小虎队的问题：
他们应该进哪个房间？

老态龙钟

薇姬上气不接下气地倚靠在门的里侧。他们把钥匙转动两回，然后抽出来。尼克多次检查门。门锁牢了，再也开不了。

为保险起见，尤比特将一把椅子推到门把手下面。现在他们才能放心地在这间他们逃进来的房间里到处看看。

"事情仿佛涉及一间浴室。"尤比特断定说，同时指指狮子爪子上面一个巨大的沐浴盆和一个带有一个盥洗盆的架子。

"那面镜子……让我突然间变成鸡皮鹤发、老态龙钟了！"薇姬惊魂未定，心情忧郁地说。

"不，你看起来极美！"小男孩们向她保证说。

尤比特耳朵里仍响着那男人的声音："……要不了多久，我们就会年迈衰老，白发苍苍。"

胡说八道！他抖抖身体，好像想要以此方式甩掉这种想法。人们不可能数分钟间变老呀。

他们蹲坐在地板上，背靠着墙。三个人全都精疲力竭了。

"这房间没有窗子，我们待着不走。"尼克小声地说。

"薇姬说得对。我们等候到早晨。那时我们就肯定能走出这幢房子！"尤比特说道。

后来某个时候他又醒了。他根本就没有注意到自己打了盹儿。他总是蹲坐在地板上。他把头抵到膝盖上。

他抬起头来，目不转睛地看着黑暗。

"薇姬？尼克？"他低声细语地探询道。

这两个在他左右两边的伙伴，睡眼惺忪地叽里咕噜说几句。他们必定同样打了瞌睡。

尤比特在黑暗中细听动静。这儿有某个可疑的噪声吗？他们依然是孤单的吗？或者有某人在房里吗？一种非常不愉快的感觉袭击了他。他伸手去摸手电筒，用手指来回摆弄开关电钮。手电筒亮了。

尤比特借助光亮慢慢地搜索这间陈旧的浴室。墙壁铺上了白色和蓝色的瓷砖。随着岁月的流逝，许多瓷砖都已掉落和破碎了。

尼克连连打哈欠。尤比特用手电筒照照他的脸，发出了一声惊叫。

"出了什么事？"尼克清醒地问道。

尤比特现在又照照薇姬，吓得他连手电筒也掉下来，赶忙用双手摸摸自己的脸。

这事不可能。这事不可能发生。这事简直不可能。

他们三人统统衰老了。薇姬现在看起来真的像先前她的镜中影像那样。就是尼克和尤比特也是满面皱纹。

当薇姬和尼克意识到发生了什么事的时候，他们怕得透不过气来。

在他们的头上，那个男人的声音又哈哈地笑起来。"在你们之前，许多人也有同样的经历。客厅下面一些小玩具完全没有危险。我的房屋中那传说的魔鬼电车，从未有过。真正的恐惧总是潜伏在各个房间里，在这些地方，如同你们一样，我的每位客人都体验到了。"

"可为什么您让我们遭到这种恐惧的袭击呢？我们做了什么对不起您的事呢？"尤比特质问道。

惊恐小虎队的问题：
你同意谁的意见，
尼克还是尤比特？

"报复！你们必须为其他像你们一样年纪的人对我干的事付出代价！"声音沙哑地说。

"您在哪儿？为什么我们不能见到您！"尤比特想要知道。他本人也不清楚，他哪里来的胆量敢提出所有这些问题来。

"你们知道我隐藏的地方！"响起了呼噜呼噜的声音。

"屋下面那间关闭的房间。是那个地方吗？"尤比特想要知道。

一声拉得长长的沙哑的"是是是是！"算是回答。

"你们来，我们务必到他那儿去！"尤比特催逼道。

尼克拽住他的袖子制止他："不，这事我们不干！"

秘密

这三个人竭尽全力拼搏。现在他们感到自己非常虚弱和困倦，仿佛连腿都抬不起来了。就是将门下面的椅子挪开，他们也颇为费劲。他们来到底层时，气也完全透不过来了。

"继续走，我们务必到他那儿去。他得跟我们说说：为什么我们忽然老了。"尤比特上气不接下气地说。

他们来到屋下面的通道时，已完全精疲力竭。从通道另一头的房间里投出一道微弱的灯光。他们跟跟跄跄地继续走，双手扶着墙。当其他通道岔出来时，他们几次三番抓了一个空。各条通道通到哪儿去呢？

他们终于来到积满灰尘、挂着蜘蛛网的房间。一个样子像伯爵的男人，从一把靠背椅上站起来。他点点头招呼他们。

"您是谁？您是怎样愚弄我们的？"尤比特气喘吁吁地质问道。他得抓住门框，否则会跌到地上。

"我是贡多尔夫·冯·施赖施泰恩伯爵。"男人自我介绍说。

"那您肯定是真正的伯爵啰！"尤比特呼哧呼哧地说。

男人恶魔般地微微一笑。

"但是……但是您可无法再活了！在那么多年之前，

您已经消失！"薇姬说道。

"不，我并没有消失。我在这下面被那三个厚颜无耻、飞扬跋扈的家伙关了起来。他们答应让我出来，但一去就不回来了！"伯爵怒骂道。他的眼睛似乎通红了。

"是那三个作为怪物离开的家伙吗？"尤比特探问道。

"伪装！可笑的伪装，他们想要以此吓唬我，可并没有成功。不过他们看透了我的实力。我无法吓死他们，不像许多其他同我打过赌的人一样。他们所有人都遭受了同你们一样的命运！"后面的话，伯爵是喊出来的。

"可是，要是您被关闭在这儿底下，那您肯定饿死了。"尼克低声细语地说。

他没有得到回答。

"为什么……为什么您一直还活着呢？"薇姬探问道。

她也听不到回答。

尤比特说话几乎听不见："他并不是活着。这只是他的亡灵，此亡灵想要报仇雪恨。"

尤比特回忆起那个看不见的冰冷东西，它在他们开门时在他们头上轻轻掠过。那是伯爵的幽灵，后来才可以看见它。

"这些厚颜无耻的小子看穿了我的秘密。但是我发誓回来，继续使人们惊恐不安、魂不附体，这是我一生

96

最喜欢干的事。我可以这样干，直到又有某人看穿我的秘密。然而无人会成功！"伯爵预告说。

"什么秘密？"尼克想要知道。

"你瞧瞧我们！我们同我们的爷爷奶奶一样老。这是

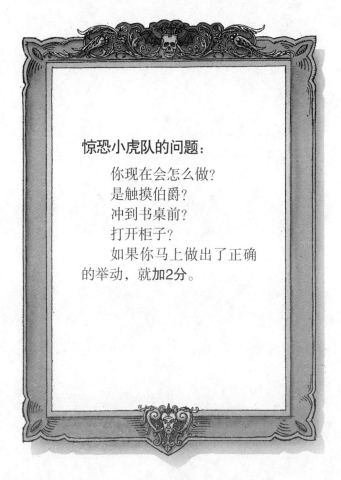

惊恐小虎队的问题：

你现在会怎么做？
是触摸伯爵？
冲到书桌前？
打开柜子？
如果你马上做出了正确
的举动，就加2分。

他干出来的事！"薇姬气喘吁吁地说。

伯爵为他们的绝望感到高兴。令他人战战兢兢、惊恐万状，就是他的癖好。

尤比特觉得自己一分钟一分钟地衰老。为时还不是太晚的时候，他得赶快采取点应急措施。他还能做什么？

不行

"你们仍是我的客人，永远是！"伯爵心满意足地说。

"可您对我们都干了什么？"薇姬打破沙锅问到底，继续追问道。她失去力气，倒在地板上。她开始觉得天旋地转了。

尤比特向前迈出颤抖的几步，去把几个巨大橱柜中的一个柜门拽开。

"不行！"施赖施泰恩伯爵尖叫道，同时扑去抵住柜门。

尤比特从另一面加以对抗。他无论如何要看看柜里有什么东西。尼克助了他一臂之力。他动作很麻利，把各个抽屉里的所有东西统统翻了出来。掉到地上的有：灰色的假发，爽身粉盒，胭脂色的平底锅和各种颜色的碎花。

"这是人造皮！"尼克断定说。

尤比特抓一下自己的脸，又掐一下脸颊，并未像通常那样感到疼痛。掐得很深时才有疼痛感觉。他扯自己的皮肤，觉察到它脱落了。皮肤下面火辣辣地作痛。

"你在干什么？"薇姬气喘吁吁地问道。

"这儿的皱纹……根本就不是真的，是他给我们贴上的。当时我们昏迷了！"尤比特强调说。

伯爵缩成一团，仿佛忍受着可怕的痛苦似的。他猛然直起腰来，双手捂住脸。

"可到底为什么我们如此虚弱无力呢？"薇姬想要知道。

尤比特把许多小瓶子从橱柜里翻出来，其中三个是空的，瓶口仍闪烁着潮湿的光泽。

"他给我们灌了一点东西，使我们疲惫不堪！药效肯定会很快失去作用！"尤比特解释道。

"那他是怎么进入房间的？可一切门窗都已关闭了！"尼克叫喊道。

"他进来了，就像他早先袭击他的牺牲品那样。通过秘密门进来，每间房都设有这样的门。别墅的墙，都是既厚又空心的。你们想想许多分支通道吧。他的牺牲品可以把自己关起来，可尽管如此，在他面前仍不安全。情况是这样吗，施赖施泰恩伯爵？"尤比特问道。

伯爵不再回答。他躺倒在他的高背椅子上，再也不动了。尤比特用鞋头推一下椅子，他在椅子上面转动起来。

"我们看穿了他的诡计。他玩弄的闹鬼把戏也就破产了。"尤比特小声地说道，"他也许终于得到安宁。"

这三个人觉察到，疲劳和虚弱从他们身体消失了。他们很快又精力充沛、精神抖擞起来，离开这间可怕的房间，通过通道朝楼梯跑去。他们冲向敞开着的住宅正

门，极其幸福地跌跌撞撞地走出来，进入寒冷的夜间空气中，贪婪地吸入它。

他们尽量快地乘车回家。为了不惹起不愉快的事，薇姬和尼克在尤比特家过夜。他们的姑父埃拉斯穆斯还未把此事告诉他们的父母，他宽宏大量地承担起责任来。

卡茨教授向这三个孩子通报了业已查明有关乌尔苏拉的情况。他们因此可以松一口气了。

一个月后，电视里报道了施赖施泰恩乡村别墅里一个迪斯科音乐舞会开幕式的情况。尤比特起初只是漫不经心地看，后来却一跃而起，跑到电视机旁。

他真不相信自己的眼睛。

施赖施泰恩伯爵在出席开幕式的客人中间跳舞。

在光怪陆离的灯光中，他却很快又消失了。

"我想，对于迪特尔和他的迪斯科舞厅来说，仍会有一些令人不寒而栗的意外事情将会发生。"尤比特说。

他的估计是对的……

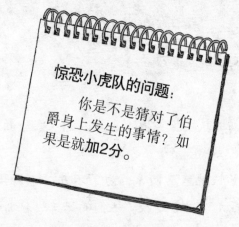

惊恐小虎队的问题：

你是不是猜对了伯爵身上发生的事情？如果是就加2分。

阁楼上的幽灵

诡异的电话亭

"不远，就快到了。"尼克看了一眼手表，催薇姬和尤比特快走，"快点，否则就来不及了！"

天气已经转凉，一阵秋风吹过，薇姬打着冷战搂紧双臂，尤比特也把上衣拉链拉得高高的，竖起衣领。

惊恐小虎队的成员们现在正走在城市边缘一个荒凉的地带，这里矗立着三座占地面积很大的旧厂房，它们在十五年前就已经倒闭，从那以后这一带就完全被废弃了。砖结构的建筑中冷冷清清地耸立着高高的烟囱，这些建筑已经残破不堪，每年都会坍塌一部分。

"这个鬼地方，你到底怎么找到那个电话亭的？"薇姬小声地问。

"我跟'胡同伯爵'在一起……"尼克开始向朋友们讲述事情的原委。

尤比特笑着插嘴说："哪个伯爵被贬到胡同里啦？"

"这位伯爵是一只白色的西部小狗，"薇姬向表哥解释道，"它的主人是位行动不便的老太太。"

尼克深深地吸了一口凉空气，接着说："我每次带伯爵去广场散步，从来都不系着狗链，它也一向很听话不会乱跑。可是，昨天它突然跑掉了，我只好在后面跟着。"

薇姬半信半疑地想，那会是多艰苦的追踪啊！小西部犬的腿虽然短，跑起来却很快，一般人很难追得上。

"伯爵可能是嗅到了老鼠的气味了，"尼克接着讲，"反正它就是疯狂地一直跑，似乎有十只凶猛的牛头犬在后面追着它似的。"

"其实是你在后面追它。"薇姬取笑说。

"说正经的呢，待会儿再开玩笑！"尼克嘟囔了一句。

"你们俩要拌嘴等一会儿，我现在想听听那个电话亭怎么了。"尤比特不耐烦地催促说。

尼克不满地看了姐姐一眼，那意思是说：好了，别再说了！要在往常，薇姬是决不肯轻易罢休的，而这回，尼克的示意却破例奏了效。

"从广场到这里并不是很远，伯爵穿过空无一人的街道，停在了电话亭前，"尼克用手指比画出两个圈圈放在面前，说，"它盯着电话亭，眼睛瞪得有这么大，背上的毛也竖起来了，嘴里发出咕噜咕噜的叫声。可是，那时候，周围真的一个人都没有。"

尤比特和薇姬听到这里惊讶地摇了摇头。

"我把它逮住，拴上狗链，正要离开的时候，我突然听到一个声音。"

尼克忽然停顿了几秒钟，在这几秒钟里能听到的声音只有三个小探险家的运动鞋踩踏石子路面发出的踢踢踏踏声。

"你听到什么了？"尤比特充满期待地问，那腔调就像一位和蔼的老师等待学生给出一个正确的答案一样。

尼克停下脚步，低下头想了想，说："是一个声音，听起来就好像……"

一阵风吹过空旷的街道，几片秋天的黄叶飘落到他们跟前。

"就像枯死了并且就要霉烂的树叶被风吹过发出的簌簌声。那个声音微弱地说，明晚八点，我打电话来。一定要过来，过来！"

尤比特和薇姬困惑地看着对方，这故事听起来太离奇了。这个电话亭已经很久没有人用了，甚至，这废弃的厂区连一盏路灯都没有，怎么可能会有人打电话呢？

就在这时，远处传来钟楼的钟声。"快，钟楼的钟快了三分钟。我们剩的时间不多了，快！"尼克说着跑起来，薇姬和尤比特紧跟在后面。

他们的目的地是一个连接两个厂区的砖结构拱形通道，桥拱下立着一座红色的电话亭。电话亭的样式很落伍，别的地方已经很少能见到了。三面玻璃墙，半球形的顶，墙与顶相接的部分是发亮的标牌，上面硕大的字母"电话"仍旧醒目。

亭子里的电话是一个灰色的盒子，上面有黑色的按键，一个投币孔，一个笨重的连接螺旋金属管的听筒，

这种金属管现在已经不用于电话线了，通常在浴室中才看得到。

"那个声音，"尼克压低声音说，"那个声音听起来像是来自另一个世界，来自幽灵的国度。"

薇姬凑近尼克的耳朵，小声地说："还有你，噢，我的小弟弟，你的话明明是从真空世界里传来的。"说完，用手指轻轻地敲了一下尼克的脑袋。薇姬显然并不相信尼克的故事。

然而就在这时，电话亭中突然传出奇特的电话铃声。薇姬脸上刚刚绽露出来的嘲笑凝固了。

　　这不是通常我们经常听到的电话铃声，甚至不像电子设备所发出的声音，而像一个装图钉的盒子被人猛烈摇晃时发出的哗啦啦的声音。

　　尤比特紧张地咬着下嘴唇，说："八点……果然很准时。现在怎么办？"

　　"谁去接电话？"尼克的眼神在尤比特和薇姬之间游离，而他自己则握紧拳头放在裤兜里，一副无论如何不想去接的模样。

　　"那就我去吧！"薇姬叹了口气说。她似乎已经习惯充当两个大小伙子的马前先锋了。

　　"让我去听！"尤比特把薇姬推一边，跑过去拉电话亭的门。门已经快被锈住了，尤比特用两只手握住把手使劲拽才终于打开，走了进去。

　　铃声就在面前响着，尤比特深吸了一口气，把听筒摘了下来。听筒又凉又重，尤比特小心翼翼地放在耳边，清了清嗓子说："啊……喂？"

　　听筒中传来猛烈的叫嚣和咔嚓咔嚓声，接着是一个人沉重的呼吸声。

　　"喂？请问您是哪位？"尤比特努力克制住自己声音的颤抖，催促道。

阁楼上的幽灵

"您……您需要帮助吗？"尤比特又问。

"把我的小提琴拿来！"一个低沉沙哑的声音说，"我的小提琴在哪儿？如果找不到我的琴，我就得不到安息。"

"您是谁？"尤比特战战兢兢地问。

"雀儿……街……十……七号！"那个声音断断续续地说，每一个音节都似乎费了很大的力气。

"告诉我您的名字！"尤比特催问。

"我需要安息。求求你，帮帮我！"

"尤比特！"

外面的薇姬一声惊呼，指着表哥的脚下。一股灰色的浓烟从电话亭底部冒出，缓缓地漫延开来，像一只能留下黏液的爬行动物一样爬过龟裂的沥青路面。薇姬是不是看错了，或者浓雾中真的显现出怪异的面孔？

烟雾迅速地笼罩了四周，薇姬吓得连连后退。尤比特放下电话，噌地从亭子里跳出来，像只踩着高跷的仙鹤一样踮起脚尖小心谨慎地走了过来，好像那烟雾是有腐蚀性的硫酸似的。

这两个小虎队的成员看着眼前阴森恐怖的场面都惊呆了。电话亭的底部射出一道黄绿色的光，顷刻间，这诡异的光充斥四周，在烟雾中飘忽闪烁。

薇姬强压住尖叫，指着烟雾问："你也看到了吗？"

尤比特表情木然地点了点头。他的脸上同样充满了惊慌和恐惧。

这时候，那个写有"电话"字样的标牌开始闪起光来，一阵吱吱声后，迸溅出闪亮的火星。开始只有几点，逐渐地越来越多，越来越多，最后一串火花像瀑布一样

在电话亭的门前喷涌而下。

薇姬，这个平常非常镇静的女孩儿，此时也禁不住浑身打起哆嗦来。

"走，快走！"尤比特扯着她的袖子跑起来。薇姬跌跌撞撞地跟着表哥，目光却还停留在那座神秘的电话亭上。

也许他们应该像飞离发射台的火箭一样赶紧升上天空，离开这个鬼地方。可是，作为只有血肉之躯的平凡人，他们又能有什么办法呢？

"尼克在哪儿？"薇姬突然发现弟弟不见了。

尤比特停下脚步，四处张望了一会儿，喊叫着表弟的名字。可是，没有回音。

"是雾……雾把他……吞了！"薇姬猛地想起来，"那些鬼脸……鬼……鬼把他抓走了。我在书上看到过，鬼来的时候都裹着烟雾！"

"尼克！"尤比特拼命地大喊。

尼克！尼克！尼克！尼克！回声从破旧厂房的砖墙飘转回来。

"说话！你在哪儿？"

在哪儿？在哪儿？在哪儿？回声又响起来。

恐慌向尤比特心头袭来，然而薇姬却始终无法相信，电话亭里冒出来的烟雾能让一个活生生的人消失吗？

不可能！或者，有别的原因吗？

那个电话！那个听起来像从另一个世界打来的电话！另一个世界，鬼的国度，难道这世界上真的有鬼吗？

"尼克他一定还在某个地方。"尤比特喘着粗气说。

"也许他昏迷了！"薇姬心存侥幸地脱口而出，"那些鬼脸，那些鬼，他们不能对他怎么样的，他还那么小，那么柔弱。"

柔弱……柔弱……柔弱……回声在他们头顶上空盘旋着。

电话亭上标牌的闪烁更强烈了。三次短促的，接着喷出一阵火花雨，然后又闪了三次时间长的。又一股浓烟从亭子里涌出来了！烟雾中一张惨白的脸瞪着红红的眼睛，张大了嘴在呼救！这时候，标牌又闪烁了三下，这回非常短促。

"在那儿！"薇姬用手指指着烟雾中刚才她跟尤比特站着的位置。

"他被浓雾吞掉了！你还记得那次灰雾吗？在沼泽地的那次。"

尤比特紧闭双唇，点了点头。他当然还记得那场灰色的雾，那能让人失踪的怪雾。

"怎么能让尼克出来呢？"薇姬焦急地大喊。然而，

她发觉，尤比特好像并没有听自己在讲什么，而是死死地盯着那个不停闪烁的标牌。那个牌子还跟刚才一样有节奏地闪着。

"你知道，那闪烁是什么意思吗？"尤比特轻声问。

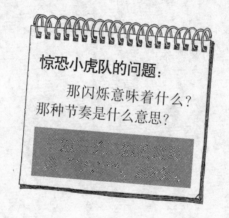

惊恐小虎队的问题：

那闪烁意味着什么？
那种节奏是什么意思？

---

* SOS是国际通用的紧急求救信号。——译者注

骷髅

"是尼克！尼克在用那个灯箱呼救，因为他被烟雾困住了！"薇姬一前一后地蹦着，她也不知道自己应该向弟弟那边跑过去，还是最好先待在原地。

"可是，那又是为什么呢？为什么尼克能听到幽灵的声音？"尤比特喃喃地说出心头的一个疑问。

薇姬的解释是："因为我们老是跟超自然的灵异打交道，所以可以接收到幽灵们发出的跟人类的联络信号。"

地面上的浓雾依旧在漫延，雾中那张脸绝望地望着惊恐小虎队的两个成员。电话亭上"SOS"信号还没有停，电话机上的听筒开始震动起来，发出丁零当啷的响声。

"我去叫爸爸！"尤比特说着跑了起来。

只剩下薇姬孤零零地站在哪儿。

尤比特的父亲，埃拉斯穆斯·卡茨教授是一位研究超自然现象的学者，在这个领域，他非常有名望，是个成果卓越的专家。他一定知道怎么样救尼克。

尤比特听着自己的脚步声跑过从厂房延伸出来的石子路，透过一扇高大的铁栅栏门，他看到了厂房的内院。

尤比特的双腿不由自主地站住了。他像着了魔似的走到门边，把脸卡在两根冰冷的铁棍儿间，瞪大双眼向院子里看。

那儿有一具巨大的骷髅骨架，足有十米长四米高，向一侧倾倒着。这应该是一具毙命的蜥蜴类生物的骨架，尤比特认得它长长的肋骨、脊柱，不大的脑袋和越来越细的长尾巴。

"不可能吧，"尤比特嘟囔着说，"不可能有这么大的蜥蜴。"

院子里没有灯，他只能借着月光使劲地看，然而不巧的是，刚好一团云飘过，月亮也躲进了云朵。尤比特一心想弄清楚这座废墟里的蹊跷，于是固执地站在那儿紧盯着骷髅。

薇姬站在离电话亭大约二十步的地方，焦急万分。忽然，她转过身，不是因为期待尤比特回来，而是，她确信自己听到了一个声音。

那团恐怖的烟雾里传来轻微的咝咝声。

薇姬不知所措地呆立着。

那咝咝声就好像一条正向她靠近的蛇吐芯子的声音。薇姬仔细地听，慢慢地听出一个字母的发音，然后是一个音节，好像是"黑……啼……"，又或者是"惠……姬……"，或者……

薇姬深深地吸了一口气，她终于听清楚了。

那咝咝声是"薇……姬"！

月亮从云朵后面钻了出来，尤比特也松了一口气，

原来院子里躺着的是部报废的机器设备，被拆卸成几块，都已经生锈了。

盯了那破机器一阵子，时间也流逝过去了。为了不被黑暗坑洼的路面绊倒，他们还把自行车停到了广场那边。从这儿去广场还有一段路，再加上从广场骑车回城堡又得花费更多的时间，这怎么来得及救尼克呢？

打电话啊！尤比特想到了这一点。可是，他没有手机，电话亭也不能进了。想到这儿，尤比特安慰地对自己说：真是神经过敏，又不是所有的电话亭都像拱桥下的那个那样恐怖。

突然，从电话亭的方向传来一声尖叫。

"我要杀了你！"

接着又传来一阵疯狂的叫嚷声，那声音听起来好像

是薇姬。尤比特赶紧往回跑，跑着跑着，他慢慢发现，不是薇姬有危险，而是薇姬气势汹汹地揪着另一个人的领子在大喊大叫。

这又是这么一回事啊？

是那团烟雾迷了眼睛，使他产生幻觉了吗？

高高的拱桥像一张宽宽的大嘴，一只惊恐的耗子嗖地从尤比特脚下跑过，从烟雾中蹿出一只黑猫紧紧地追捕着猎物。

慢慢地，尤比特看见了薇姬。

只见她站在一个身穿夹克衫的人跟前，一只手攥成拳头高高地举着，竭尽全力地找着最恶毒的字眼骂道："你这个坏蛋，小王八蛋！我恨不得把你扔进绞肉机绞成肉酱！然后把你的肉末喂十天没吃饭的饿狗！"

对面那个人也看清楚了，竟然是尼克！他身子向后仰着，似乎想挣脱薇姬溜走，然而尤比特看见他的嘴角却挂着得意的微笑。

恐怖的意外

"我发现,我简直是个天才!"尼克得意地说,笑得合不拢的嘴角几乎咧到了耳朵边。

"你简直就是个浑蛋!"薇姬怒气冲冲地骂道。

烟雾还没有散,而那个电话招牌也还在不停地闪烁着。

"快把这可笑的把戏撤了!"薇姬气急败坏地催促说。

"可笑的把戏?!"尼克撅起嘴说,"你们俩还不都被这'可笑的把戏'骗了嘛,你到现在还在生气呢,我亲爱的姐姐!"

尤比特终于明白他们在说些什么了,不敢相信地问:"也就是说,这电话……这一切都是你安排好的?"

尼克自豪地点了点头:"没错!所有!都是我的杰作!所有的道具都是我自己完成的。这个电话亭已经好多年都不能用了,唯一还能正常运转的只有那个灯箱!"

"还有雾、火花、闪烁的信号灯,还有声音。"尤比特一字一句地问。

"一台烟雾制造机、一部舞台烟火喷射仪、一个非常简单的闪光开关,声音嘛,看那个录音机!"尼克说着,从录音机里取出一盘磁带。在他身后的一个墙洞里,其他的机器也露了出来。

"可是，烟雾里那些脸？"薇姬不解地问。

尼克向上指了指。原来在拱桥的上沿固定着一台小投影仪。

"我认识了一个叫提徒斯·易菲克斯的朋友。他也有只小狗，是只普通的看家狗，我在遛狗的时候在广场认识他的，"尼克开始讲述着那些机器的来历，"易菲克斯先生原来是做电影特效的，现在是我们城市剧院的舞台效果工程师。"

"是他帮你布置的这一切吗？"尤比特指着那些机器问。

尼克微笑着说："我承认，是我们一起布置的这些场景。哈哈，不管怎么说，你们终归是上当了，而且还很恼火。"

薇姬和尤比特交换了一个眼色，真恨不得往尼克的脑袋上钉颗钉子。可是，这场闹剧确实导演得惟妙惟肖，他们也因为怕鬼才落入了陷阱，因此才会生气。所以，他们首先气的还是自己。

"可是，你又是怎么想到的什么小提琴呢？"尤比特问。

尼克不解地看着他。"你说什么小提琴？"

"那个声音啊，那个从听筒里传出来的沙哑的声音说，我们应该把小提琴找回来，因为没有琴，他将不得安息。"

"那个声音是小提琴?"尼克似乎也糊涂了

"不是,是人的声音。确切地说,是小提琴属于那个声音沙哑的人!"

尼克一头雾水地摇着头:"我不知道你在说些什么。"

"当我拿起电话的时候,刚开始只有一个人的呼吸声,然后有个声音说,我们应该去找一个小提琴,他住在……"尤比特想了片刻,打了个响指说,"……雀儿街十七号!"

"不可能!"

"我真的听到他这么说的!"

"绝对不可能!"尼克坚持着,"那个伪装的声音是我亲自说的,然后用一个专门的机器使它失真,把我的声音变得很高很尖。我没说什么小提琴,说的是,我是一个被砍了头的伯爵夫人,我要寻找我的头。你们应该到公墓的一个墓室里去。"

"那个声音录在磁带上?"尤比特问。

"是啊,从录音机里放出来的!"

尤比特拿过尼克那盘磁带,拔掉录音机后面连着电话机的一条电线,摁下了播放键。

扩音器中首先传来一阵呼吸声,接着响起一个高调的声音,跟尼克刚才重复的一样:"我的头……有人砍下我的头,埋到另一个墓穴……"

尤比特关掉录音机，肯定地说："我听到的是另一个声音，一个完全不一样的声音。"

尼克不安地笑了笑，说："你现在又想捉弄我是不是，因为我刚才骗了你们，所以你要报复。"

尤比特极其缓慢地摇着头："不，我没有。"

薇姬走到两个小伙子中间，严肃地看着尼克问："这真的不再是你那可笑的恶作剧了？"

"不是！"尼克委屈地大喊。

"那是不是意味着……我真的……真的听到了幽灵的声音？"尤比特沙哑着嗓音说。

薇姬走进电话亭。尼克说得没错，电线已经被割断了，这部电话机已经不可能正常通话了。真正的电话是不可能打到这里来的。她把听筒放回到叉簧上，转身离开了电话亭。一出来，薇姬打了个大大的喷嚏，那舞台烟雾的味道非常奇怪，就像一只古老的很久没有通过风的柜子里的气味一样。

突然，那声音奇特的铃声又响了。

惊恐小虎队的三个成员吃惊地望着对方。

"这回真的不是我！"尼克赶紧解释。

尤比特用胳膊肘捅了捅薇姬："你去，如果还是说小提琴的事，你也能作证了！"

薇姬深吸一口气镇定了一下，再次迈进破旧的电话亭。她紧紧地抓住听筒，克制住紧张，把它从电话机上拿下来，举到耳边。

"哦——喂？"

"帮帮我！一定要找到我的小提琴！"一个沙哑的声音喃喃地说，听起来似乎是一个年纪很大的老人，"每天八点来这个电话亭，我会打电话的。"

"您……您是鬼？"薇姬声音颤抖地问。

"死了很久了……死了很久了，"那个声音越来越小，

好像很快就走远了一样，"太难了，跟人取得联系太难了……不要丢下我不管！我求求你们……"

　　最后的几个字逐渐削弱到几乎听不见，像是从一个遥远的大厅传来似的，虚无缥缈。

雀儿街十七号

尤比特和父亲住在一座名叫鹰堡的城堡里，坐落在一片森林中的一个小山丘上。

卡茨教授几年前用便宜的价格买下它的时候，这里几乎是一片废墟。埃拉斯穆斯·卡茨花了一年的时间在破旧的城堡里建起了四个房间和一间厨房，一间浴室。四个房间分别是：教授自己的卧室、尤比特的卧室、客厅和工作间。

惊恐小虎队的碰头地点在一个小塔楼的最底层。这里原本是鹰堡的审讯室，没有通电，照明全靠煤油灯。

尤比特、薇姬和尼克围坐在一张粗糙的橡木桌子边。两个小伙子把腿伸在桌子上，薇姬则玩跷跷板似的前后摇晃着椅子。

尤比特肩上站着一只深色的小乌鸦，它叫可可，是尤比特的宠物。两年前，尤比特在雪地里发现了翅膀受伤的可可，把它带回家帮它疗伤。不久，他发现，可可并不是一只普通的乌鸦，它很驯服，而且有非凡的模仿能力，能模仿各种声音，而且对超自然的灵异事件还有敏锐的第六感。

乌鸦伤愈后，就不想飞走了，它留在鹰堡的塔楼里，有时候也会飞到下面的房子里溜达溜达。

"我跟爸爸讲了我们遇到的事情了。"尤比特开口说道,不过当他注意到另外两位成员诧异的表情后,赶紧更正说,"没有,他不知道是我们亲身经历的。我说,那只是我听说的事情。"

尼克和薇姬这才松了口气,身子又向后仰过去。埃拉斯穆斯叔叔一直不太鼓励他们搞的这个惊恐小虎队,有时候还试图制止他们的行动。

"爸爸解释说:尼克安放那些造鬼的装置的时候释放出一种能量,被真正的幽灵接收到了。"

薇姬听了这话,有点吃醋了,嘟囔着说:"什么能量,就是因为能量才招惹上了鬼!小东西释放的多半是臭气,不过我还没听说过臭气还能惊动幽灵的。"

尼克一把抓住薇姬的椅子靠背向后掰去,薇姬失去重心,尖叫着踢腾着双腿。尼克猛地又掰了回来,咬牙切齿地警告说:"让你看看,'小东西'都能干什么!"

眼看着这一对姐弟又要吵起来,尤比特赶紧打断他们:"要打架回家再打!现在是惊恐小虎队的碰头会。你们没完没了的争吵简直让人受不了!"

尼克露出无辜的笑容:"我可从来没想吵架。"

薇姬嘟嘟囔囔地威胁说:"等着瞧,回家跟你算账!"

尤比特把手臂枕在脑后,接着说:"幽灵利用那个机会,通过电话机跟我们联络上了。"

薇姬摇晃着红色的长发："这也太不可思议了吧！"

"爸爸并不认为这完全不可思议，"尤比特严肃地说，"而且那个声音，我也不觉得是个玩笑。我认为，我们应该去雀儿街十七号走一趟，去看看谁在那儿住。今晚八点也很关键，我们将知道是否还会有来自鬼域的电话打过来。"

"我可没时间。"薇姬还在赌气。

"借口！"她的弟弟不满地瞥了她一眼。

尤比特知道薇姬只是在耍脾气，于是说："没问题，那我跟尼克去好了。晚上，你跟我们一起去电话亭吗？"

薇姬耸了耸肩，冷冷地说："到时候看情况再说吧。"

身后的尼克皱了皱眉头，尤比特忍住笑，而可可却大声地呱呱叫起来。这次会议究竟达成了怎样的共识啊？

吃完中午饭，尼克和尤比特骑着车来到雀儿大街。这一带是城市的富人区，一幢接着一幢都是豪华的别墅。

"姐弟之间有时候相处总是不融洽。"尼克骑着车说。

惊恐小虎队的问题：

那人脸上的东西是什么？

"表兄妹之间还不是一样。"尤比特扭过头说。

雀儿街十七号是一栋狭长的三层小楼。第一眼望过去给人的感觉是灰色调的，冰冷的，似乎要拒人于千里之外似的。窗台的上沿像人紧锁的眉毛似的，而房子边角的立柱像獠牙一样龇着。

尤比特在大门两边的立柱上寻找着房子主人的名牌。他发现一边的立柱上只剩下四个螺丝钉留下的窟窿，显然原本这里有个名牌，却被人粗暴地扯了下来。而左边的立柱上钉着一块崭新的铜牌，上面用生硬的笔画写着黑色的字："西尔伯格"。铜牌的下面有个抛光的门铃按钮。

尤比特没有多想，就用拇指按了下去。

房子里叮叮当当地响起旧式门铃的声音。不一会儿，二楼阳台上的门打开了，一个身穿灰色晨袍的人伸出脑袋，大声吼叫道："快滚，我们什么都不给！"

尼克看着那个人的脸，那是什么？那有个什么东西？鼻子下面那玩意儿是什么？一条肉色的长条，中间窄，两头宽，两边连着绷带缠在脑袋上。

爱德特劳德

"我们不是来乞讨的!"尤比特被那人的傲慢激怒了,"我们想问些事情。"

那个油光发亮的黑发上带着紧紧的发网的人生气地摆着手:"问什么问! 问其他人去, 这条街上有那么多房子!"说完砰的一声关上门, 巨大的响声几乎能让全街的人都听得到。

"这个家伙能在'超级不友善'的选举中力拔头筹。"尼克悻悻地说。

两个小伙子站在花园的门外犹豫不决地伸长脖子张望。从街面上实在看不到里面的情景, 浓密的灌木丛挡住了他们的视线。

忽然, 猩红的大门开了一个缝, 一张圆润的脸庞露了出来。这是一位顶着一头白色小鬈发的女士, 她穿着黑色的衣服, 系着白色的围裙。

"嘘, 孩子们!"这位女士轻声地喊他们, 用手指指着房子的另一边, 说, "房子的侧门在夜莺路, 到那边去。"说完, 她又轻轻地把门关上。

尤比特和尼克很快就找到了夜莺路, 这是条跟雀儿街平行的大街, 十七号楼果然一直延伸到这条路上。

浓密的矮树丛簌簌地响了一阵, 一个矮胖的老太太出现在了花园门后。她掏出一只样式陈旧的钱包，摸索着找出几个硬币。

"你们一定是为童子军俱乐部募捐的，"老太太说，"要是迪奥索斯先生，肯定会给你们的。可惜他的侄子却是个吝啬鬼。"

尤比特看着硬币犹豫了片刻，还是决定说出他们的真实目的，"我们不来募捐。我们是想了解一些事情。"

老太太用她那浅蓝色的眼睛询问似的看着他们。尼克注意到，那眼睛微微有点红，好像刚刚哭过似的。

"这里住过一个会拉小提琴的人吗？"

"是啊！"老太太使劲地点着头，白色的发卷也跟着晃动起来，"这房子一个月以前还属于多纳特罗·迪奥索斯先生，他是一位享誉世界的小提琴家，可是……"她深深地叹了口气，说，"一个多么优秀的人，可惜已经去世了。"说着，老太太从围裙口袋里掏出手绢擦了擦湿润的眼睛。

"我们想知道他的小提琴的事情。"尤比特紧张地等待着答案。

"你们怎么知道这些？"老太太显然吃了一惊，问。

"这太复杂了，为什么我会这么问……"尤比特试图回避着。

房子里传出那个绷着胡子绷带的男人沙哑的声音：

"爱德特劳德！我的茶呢？你在后面干什么？你的工作在房间里！"

老太太又叹了一口气，无奈地说："这是西尔伯格先生，迪奥索斯先生的侄子。我真的不明白，为什么迪奥索斯先生偏偏把这房子遗赠给他？他好像对遗嘱根本没有深思熟虑过，我已经为他工作了那么多年了。"

尤比特和尼克交换了一下眼神，他们的想法是一致的：这家人肯定有问题。

"我们需要知道更多关于小提琴的事情，您快说。"尤比特催促道。

"五点钟以后再来，那时候那个讨厌鬼就出门了。"她说着往房里指了指，转身没有道别就走掉了。

"我还要等多久?!"西尔伯格怒气冲冲地吼道，"我想我应该请一个年轻的管家才对。"

"真是个可恶的家伙！"尼克气得嘴唇发抖。

尤比特赞同地点了点头。他正要转身离开，尼克却忽然拽着胳膊把他拉了回来："你听！"

尤比特竖起耳朵。树丛中小鸟正唧唧喳喳地唱着歌，秋风吹着树叶发出簌簌声。隐隐约约地，从远处飘来微弱的小提琴声，那琴声哀怨悠长，如泣如诉。

"你能听得出，这音乐是从哪儿传过来的吗?"尤比特小声问道。

135

尼克把帽檐挪到脑后，转过头，专心致志地听着。尤比特也静下心辨认着琴声的来向。过了一会儿，两个人看着对方，异口同声地说了出来："从这所房子里传出来的！"

紧闭的门窗里传来西尔伯格的大叫："爱德特劳德，把收音机关掉！这小提琴的嗡嗡声真让人无法忍受！"

爱德特劳德小声地说了句什么话，尤比特他们没有

136

听到，然而她的话却激起西尔伯格更大的愤怒："你撒谎！你想让我发疯啊，你这野鸡！"

"这个爱德特劳德怎么能够忍受这样的主人?！"尤比特很惊讶，同时他也很期待，期待着爱德特劳德跟他们讲关于小提琴的更多线索。

幽灵的演奏

五点钟的时候，两位惊恐小虎队的成员暗中在崔儿街的街角守候着。正如爱德特劳德所说，西尔伯格先生果然要出门，不过在走出门的一瞬间还回过头骂骂咧咧地说："我八点回来，把晚餐给我准备好。还有，如果再让我听到可恶的小提琴的嘎吱嘎吱声，你就给我滚！"他咣当一声摔门而去，惊得树上的几只小鸟扑棱棱地飞了起来。

西尔伯格的后脑勺被竖起的大衣领子几乎遮了个严严实实，走路向前弓着身子，活像一只凶猛的老鹰。他油光锃亮的头发梳着中分的发型，大胡子向两边翘起，紧贴着腮帮。

西尔伯格走到崔儿街的尽头，拐进了一条小路。于是，尼克和尤比特立刻从藏身之处跑出来，摁响了十七号院的门铃。女管家用围裙擦着手走出来。

"你们还挺快。"她摁下一个开门的开关，嗡嗡几声，花园大门自动打开了。两个小伙子匆忙穿过花园的石子路，走进房子。

一股怪怪的香味扑面而来，两个人不禁皱了皱鼻子。

"咳，我也不习惯这个味道。"爱德特劳德叹着气，把窗户打开。她领着尤比特和尼克来到厨房，给他们一人一个凳子坐下。桌子上放着一只装着面团的大面碗。女管家不再理他们，一言不发地揉起了面团。

接下来的几分钟里，三个人都沉默着，只听见挂在门上的一只老式闹钟的滴滴答答声。

尤比特轻咳了几声，想引起老太太的注意，爱德特劳德好像完全忘记他们的存在了。

"我知道，你们想知道更多关于迪奥索斯先生的小提琴的事情，"她叹了口气，开口说道，"可是，我也不知道该怎么跟你们说，这听起来太不可思议了，我自己甚至都不敢相信。"

"我们可不是一般的人，"尼克试图让她平静下来，"我们的组织叫惊恐小虎队，专门寻找妖魔鬼怪、吸血鬼、狼人之类的踪迹。"

女管家浅蓝色的眼睛盯着他们："你们说的，是玩笑还是真事？"

"真的！"尤比特肯定地说。

"那太好了，也许是上帝把你们派过来的。"爱德特劳德这才洗了洗手，坐到了椅子上，接着说，"迪奥索斯先生去世三天后，遗嘱被公布，遗嘱上说，他把所有的财产都赠给侄子桑德罗·西尔伯格，而他另一个侄子和我都一无所得。西尔伯格先生说，我可以留下来继续给他工作，我接受了，毕竟到我这个年纪另找一份新工作也不容易了。"

爱德特劳德指了指四周，说："这房子虽然也不错，可是，这不是最值钱的。多纳特罗·迪奥索斯先生最值钱的东西是一把小提琴。"

说到这儿，她起身走出了厨房。不一会儿，拿了一张镶着相框的照片走了回来。照片上，一个长脸尖下巴的绅士正握着一把锃亮的小提琴投入地演奏着。他的眼睛焕发着光彩，眉毛高高抬起，好像已经完全沉醉于美妙的音乐所描绘的世界一样。

"当迪奥索斯先生用这把小提琴演奏的时候总是很用情。这把乐器已经有很多年的历史了，是意大利一位著名的工匠制作的，全世界只有七把，所以它的价值差不多相当于四十辆名贵跑车。"

"四……四十辆跑车？"尼克结结巴巴地说，"这么贵啊！"

"这把小提琴的声音有如天籁，"爱德特劳德接着讲道，"迪奥索斯先生逝世前三天，我听到过他用这把小提琴演奏的乐曲。那时候我在厨房，他在楼上的音乐室，那声音，简直太美妙了！从那天起，他就没再离开过这座房子，可奇怪的是，他去世后小提琴却不见了。"

"可下午我们听到了房子里有人在演奏。"尤比特说。

女管家听了这话，大吃一惊。她又开始使劲地揉面团，不再说一句话。事实上也不再需要她的证实了，像受了提示一样，那悠长哀怨的乐曲声又响了起来。那声音来自楼上的某个地方。

"是谁在演奏？"尼克轻声问。

爱德特劳德痛苦而无奈地把手放在嘴上，摇了摇头，喃喃地说："我不知道。"

"我们能上去看看吗？"说着尤比特已经跑到门口了。

女管家轻轻地点了一下头，尤比特飞快地跑上了深色的楼梯。到了二楼，他停住脚步仔细地辨认着。

琴声还在上面，尤比特找到另一个楼梯，三步并作两步地跑了上去。

现在他已经越来越接近琴声的源头了，他来到一扇木门前，把耳朵贴上去。

琴声很清晰，没错，演奏者肯定就在门里面。

尤比特抓紧门把手，猛地一转，紧接着一推，门开了。

琴声没有停止。

尤比特呆呆地环顾着这间一面墙倾斜的阁楼，地板上堆着乐谱本，墙上挂着那位著名小提琴演奏家登台表演的相片，旁边还镶着四张黄金唱片和一张白金唱片，房间中央竖着一个木制的乐谱架。

琴声就是从乐谱架前响起的，那是一曲忧伤的旋律。

可是，那儿却没有人，准确地说，整个房间都没有人。

那这音乐声是怎么来的呢？

尤比特缓缓地，一步一步地向乐谱架靠近。

很近了，一伸胳膊就能碰到它。

尤比特又向前迈了一步。

奇怪的事情发生了。他感觉有人用一根细细的小棍子打了他一下，同时，伴着呼哧呼哧的呼气声，一股冰凉的气流扑面而来。尤比特觉得自己的皮肤好像突然间结了冰似的，眉毛、嘴巴都不能动，甚至连眼皮都合不上了。

又一击袭来，这次直接打在了尤比特的肚子上，尤比特一个趔趄摔倒在地板上。一阵阴风吹过，架子上的乐谱纸盘旋着向他飘过来。

冰块一样的阴冷越来越靠近，尤比特感觉到有人走到了自己的左侧，用一个坚硬的东西抵住他的肩膀，打量着他。那令人打寒噤的眼神从上到下，然后又回到头上。当尤比特感觉耳朵一阵冰凉的时候，他听到一句严厉的话："出去！"

可是，尤比特始终都没有看见一个人。

尤比特的耳朵生疼，好像被人用冰块挤压着一样。

尤比特想站起来跑出这间阴森的阁楼，却怎么也爬不起来，他的手脚都麻痹了。

尤比特终于明白对付自己的人是谁了，房间里有个明显的暗示。

惊恐小虎队的问题：

什么暗示？

幽灵又打电话来了

"尤比特，你怎么了?"尼克出现在门口，抓着门框关切地看着尤比特。

当尼克走进房间的时候，阴冷的气息消失了，墙上的照片也恢复了原来的样子，甚至飘落在地上的乐谱也重新归了位，好像刚才的那一切，完全是尤比特的一场梦而已。

"你还好吗?"尼克问。

尤比特的脸也解冻了，同时手脚又恢复了自如。他昏昏沉沉地站起来，蹒跚着离开了神秘的阁楼，然而刚才不可思议的情景却令他困惑不已，便一步一回头地回望那琴声传来的地方。

爱德特劳德出现在楼梯上。

"每天至少演奏两次，"女管家说，"他侄子总以为是我捣鬼，故意暗中放唱片惹他生气。可是，真的不是我。"

尤比特摇着头走下楼梯:"他真的在那儿。我能感觉到他。那么冷。还有那些照片，照片上的他愤怒地瞪着我。

这时候，楼下忽然传来房门的吱扭声。爱德特劳德吃惊地用手捂住嘴。

"我的手提包在哪儿? 你怎么不提醒我带手提包?"

西尔伯格先生大声嚷嚷道。

女管家从楼梯栏杆上探出身子，向下喊道："真对不起，我不知道您的手提包在哪儿。"

"蠢婆娘！"西尔伯格骂着摔门离去。

音乐室的门自动关上了，像被风关上的一样，然而走廊里却一丝风都没有。

"不过，他通常演奏的都是我最喜欢的一首曲子！"爱德特劳德的眼睛又湿润了，"《勇敢的露易瑟之歌》。"

尤比特习惯性地揉搓着耳垂，这动作表明他正努力地思考着什么。

"好了，孩子们，现在你们最好赶紧走吧！我担心，西尔伯格先生走到半路又想起什么再回来。"爱德特劳德把尤比特和尼克推到门边，匆忙地道别，接着又再三叮咛说，"这房子里发生的事，你们对谁都不要讲！没有人会相信你们。"

尼克和尤比特溜达着走回到他们停放自行车的小胡同，正要往雀儿街上拐的时候，却看见正如爱德特劳德所料，西尔伯格先生大步流星地又回来了。尤比特他们赶紧屏住呼吸，退回到胡同里躲了起来。随着房门砰的一声响，西尔伯格的身影消失在房子里。

"这家伙肯定因为找不着小提琴气昏了头了。"尼克耳语道。

尤比特撇撇嘴角，表示同意。

"可是，为什么迪奥索斯一边显灵在他的音乐室拉琴，"尤比特困惑不解地说，"一边又跟我们联络上，让我们帮他找琴呢？"

尼克想了想，怎么也想不出如何解释这种自相矛盾的行为。

两个小伙子回到施瓦茨布施家，想把发生的事告诉薇姬，然而薇姬却没在家。施瓦茨布施太太也只知道，薇姬与朋友一起去马厩了。

"她真应该骑着她的马去游街，"尼克不满地抱怨说，"如果她再这样，我建议把她从惊恐小虎队里开除。"

"我想她已经冷静下来了，"尤比特说，"那我们去电话亭吧。"

七点五十分，尤比特和尼克穿过破旧的街道来到工厂废墟。晚风刺骨，砖砌的烟囱像竖起的食指一样静静地指向夜幕已降临的天空。

几只惊恐的老鼠吱吱叫着逃窜，两只黑猫像影子一样紧追不舍。当它们从尼克和尤比特脚边跑过的时候，两个小伙子战战兢兢地停住了脚步。虽然他们谁都不肯承认害怕，却还是被吓了一跳。

不一会儿，他们再次站到了那神秘的电话亭前。

尼克用手拍了拍额头，好像突然间想起了什么："哎呀，我昨天忘了把那些设备拆走了！"

"你肯定？"尤比特四下里看了看说。

那个放录音机和其他设备的墙洞空空如也，固定在桥拱边的投影仪也不见了。

"那一定是易菲克斯先生拿走了，"尼克说，"他帮我布置的那些设备，也知道我昨天吓唬你们的计划。回头，我还得去谢谢他呢，这事可不能再忘了。"

报时的钟声从远处传来，跟平日一样，钟楼的钟快了三分钟。

不过，那来自幽灵的电话却仍然很准时。

当八点整那老电话机当啷啷响起来之后，尤比特踌躇着走进电话亭。他努力压抑住自己的紧张，把听筒拿下来放在耳边，嗓音沙哑地说："我们……我们在这儿。"

电话里首先还是一阵刺耳的叫嚣，好像这电话是从遥远的根本没有通信网络的地心打过来似的。接着响起一个微弱的声音，跟昨天晚上一样显得非常疲惫。

"你们找到……我的小提琴了吗？……我需要它……我需要永远的安息……"

"您是多纳特罗·迪奥索斯先生吗？"尤比特问。

"是，是啊。"幽灵低声回答，"我是多纳特罗。我的小提琴……在谁手里？"

电话亭外，尼克透过模糊不清的玻璃门紧张地看着表哥。阴森的氛围令他心神不定，尼克忐忑地咬着下嘴唇。忽然，身后一声尖叫，一只猫蹿了出来。黑色的猫尾僵硬地举着，绒毛乍起，像一只硬毛瓶刷一样。

不知道又是哪个小东西要丧命呢！尼克摇了摇头心想。

151

耳痛

"我今天听到您拉琴了……在您的音乐室。您把我赶了出来。"尤比特试图让每一个字发音更清晰,"您为什么要这么做?"

电话那端的幽灵沉默了,只有咔嚓咔嚓的噪声和叫嚣。

"没有!"幽灵突然说。

"没有什么?"

"我没有那么做,"那声音沙哑地说,"我没那么做。"

"那会是谁?"

没有回答。

又一只受惊的猫从尼克脚下飞奔而过,它泛着绿光的眼睛充满恐惧,而两只老鼠则疯狂地追着它。尼克简直不敢相信自己的眼睛,不由自主地紧跟几步想看个究竟。老鼠追着猫向右跑去,那边不远处传来丁零当啷的响声。为了看看到底发生了什么,尼克循着老鼠的踪迹找过去。

尤比特被单独留了下来。

"你听着!那份遗嘱……你当真把所有的财产都送给你侄子桑德罗·西尔伯格了吗?"尤比特紧张地等待着答复。

一阵寒冷的秋风从电话亭半开的门灌进来,尤比特打了个冷战，转过身伸手想把门关上。然而他的手还没有碰到门把手，就僵硬地停到了半空中。

尤比特想喊却喊不出声，他的喉咙好像被什么东西卡住了一样。

"你……你刚才就在电话亭……门外吗?"尤比特竭尽全力才沙哑地说出几个字。

沉默，只有沉默。

紧接着，听筒里再次响起咔嚓咔嚓声，信号断了。

尤比特恐惧地盯着电话亭外那个鬼影，眼睛被什么东西迷住了。尤比特闭上眼睛，鬼影也消失了，但是尤比特能明显地感觉到鬼影恐吓地举起了手。当尤比特把眼泪擦掉，重新张开眼睛的时候，鬼影已经走近了。长长的脸庞变形成可怕的怪相，毫无阻隔地穿过电话亭的玻璃墙，向尤比特逼过来。

瘆人的寒气油然而生，就好像有人搬了一个巨大的冰块放在了身边。

一把小提琴的弓向尤比特劈面打来，尤比特感觉到一阵疼痛，跟下午在阁楼里的疼痛一模一样。幽灵把自己的乐器架在肩上，凑近尤比特的耳边，拉出尖锐刺耳的嘎吱嘎吱声，这声音带给尤比特更加难耐的、钻心的疼痛。

"不要啊！"尤比特喊叫着，试图用手捂住耳朵，然而他的胳膊突然间变得异常沉重，怎么也抬不起来，好像有人在他胳膊上钓了一个大秤砣似的。

愤怒、哀戚、刺耳的嘎吱嘎吱声源源不断地钻进尤比特的耳朵，像一根长长的铁钉一样凿进他的脑袋。

"不！不！"尤比特扯开嗓子大喊。渐渐地，似乎有一张黑色的幕布从天而降，尤比特眼前一黑，失去了知觉。

　　尤比特感觉自己又被打了一下，不过这次不是响亮的耳光，不是猛烈的击打，而是非常温柔的轻拍。

　　"求求你，快睁开眼睛！"一个熟悉的声音焦急地命令他。

　　透过眼睫毛，尤比特认出眼前薇姬一脸担心的面孔。她的头发散乱地垂在额头上，眼镜片后的瞳孔睁得像纽扣一样大。

　　"嗨！"尤比特微弱地打了声招呼。他的喉咙疼得像着了火一样。

　　"太好了，你终于醒了。"尤比特听见尼克松了口气，说，"我们正想叫救护车呢。"

　　"到底发生了什么事？"薇姬问，"我在你们后面来的，我来的时候，尼克也没在这儿，而你却毫无知觉地

躺在电话亭里。"

尤比特贪婪地吸了一大口空气，说：

"这次我看见他了……小提琴家的鬼魂……他要把我干掉！"

"真的吗？你确定？"薇姬表妹惊讶地抬起眉毛。

"否则他是什么意思？"尤比特喘着粗气站起来，"我要回家去。我现在最需要的是一张床。明天上午惊恐小虎队聚会的时候，我告诉你们全部事情的经过。"

薇姬和尼克理解他的感受，而且现在正放假，他们有的是时间。于是，姐弟俩一左一右地挽起尤比特，走出了厂区。

他们渐渐远离了电话亭，没再回头看一眼。事实证明，他们错了，如果回头看看的话，一定会起疑心的。

露易瑟之歌

第二天一早，尤比特来到城堡的地牢，不耐烦地等着惊恐小虎队的另两位成员。

他在老橡木桌上铺开一张牛皮纸，用沉重的手铐和拇指夹*压住纸的两个角，拿起彩笔在纸上描画起整个事件的几个关键点。

薇姬和尼克来了以后，好奇地趴在桌子上看着这张纸。

尤比特在纸的一边画了个电话亭，旁边写着"幽灵的声音——可能是多纳特罗·迪奥索斯"。一个箭头从电话亭里伸出来，指向一座模样画成小提琴家别墅的房子。旁边写着"爱德特劳德——女管家，西尔伯格——令人厌恶的遗产继承者"。另一个箭头指向别墅的阁楼，写着"迪奥索斯的鬼魂，看不见，但是能感觉到，在演奏小提琴"。

"幽灵的声音在电话里把我们引到了崔儿街，"尤比特总结说，"这都是因为一把小提琴。在别墅里，我们听到了演奏小提琴的声音。声音来自迪奥索斯先生的音乐室，而且，我能肯定，是他的鬼魂在演奏。但是，他把

---

* 古代的一种刑具——译者注

我赶了出去。第二天在电话亭里，我甚至能看见他的鬼魂，他再次威胁我。嘎吱嘎吱的琴声搞得我的耳朵到现在还疼着呢。"

"然而同时，他的鬼魂又一次要求找到他的小提琴。"尼克说。

"是啊，这简直是自相矛盾！"尤比特脱口而出。

薇姬明白尤比特想说什么了："除非幽灵和声音不属于同一个人！"

"我们接着再想，事实就更清楚了，"尤比特打了个

响指，接着分析道，"尼克，你的录音机应该是被连接在电话听筒上，而且能自动开关。"

"对呀，没错，程序就是这么设计的。"

"可是当你给我们重新播放以证明你说的话的时候，却没有倒带，仍然是从头开始播放的，"尤比特回忆说，"这说明，先前的一次它根本就没有播放。"

"你的意思是？"薇姬问。

"如果那个声音真的是来自鬼域的话，那一定不是迪奥索斯先生的鬼魂，而是别人在捣乱。"

薇姬和尼克都被表哥的话搞糊涂了。

尤比特进一步解释说："小提琴在迪奥索斯逝世前就消失了，然而他的鬼魂却还能够用那把乐器演奏。而另一个来自鬼域的幽灵也想得到那把琴。"

"可是，难道小提琴也能够跟人一起到另一个世界里去吗？"尼克问。尤比特做出同样困惑的表情，他也觉得自己的推测有漏洞。

"电话亭里那个电话是哪个幽灵给我们打的呢？"薇姬说出自己的另一个疑问。

"要想找到答案，看来还得去了解更多关于多纳特罗·迪奥索斯的事。"尤比特说，"爱德特劳德肯定能告诉我们一些的，我们等那个讨厌的家伙出门以后找她聊聊去。"

三个人于是立即行动，他们在花园里看见正在给树丛修剪枝叶的女管家。

"能占用您一点时间吗？"尤比特问。

爱德特劳德打开花园后门，让惊恐小虎队的探险家们走了进来。

"西尔伯格出门了，两天都不会回来，"女管家说，"我们也不必害怕他突然回来了。"

她领着三个小伙伴来到厨房，亲切地给他们喝覆盆子果汁。为了让老太太高兴，他们一人喝了一大杯。

尤比特边喝着果汁边抬起头问："您认为，迪奥索斯先生会怎么处理他的琴呢？"

"藏起来！"女管家的回答让他们有点意外，"肯定的。我相信我能猜到他藏琴的理由。因为迪奥索斯先生显然不想让自己的琴落到西尔伯格先生手里。"

"那西尔伯格先生找那把琴了吗？"薇姬问。

"当然！"爱德特劳德做了个无奈的手势，说："疯狂地寻找！他几乎把这房子翻腾了个底儿朝天，我花了几个小时才打扫干净。"

尤比特揉搓着耳垂，说："这怎么可能呢？迪奥索斯先生去世三天前还拉了那把琴。在那之后，他离开这房子了吗？"

爱德特劳德摇了摇头。

"也就是说，琴只可能在这栋房子里！"薇姬推断说。

"可是都找遍了，没有啊！"女管家肯定地说。

"那期间，有别的人来过吗？"薇姬继续追问。

"什么人也没有，只有我。但是，我没有拿那把小提琴！"

"我们能再找找吗？"

爱德特劳德稍微犹豫了一下就同意了，"但是，你们一定要小心，不要碰任何东西！我不想再挨骂了。"

惊恐小虎队的成员们保证一定会小心，然后从厨房走出来，在小别墅里四处查看了起来。别墅底层有一个带壁炉的会客厅和一个种满仙人掌的温室，二层有爱德特劳德的房间，两间主人卧室和浴室，顶层是音乐室和一个储藏室。

三个好朋友找来找去，也没发现一个可能藏琴的地方。看来，单凭这样表面的寻找是不可能发现什么的。

当他们走下楼梯的时候，爱德特劳德已经在等候着。薇姬和尼克表情木然地冲她摇了摇头。尼克则灵机一动，拍了一下手，问："迪奥索斯先生是不是有保险箱？"

"没有，他没有保险箱。"女管家的回答让尼克很失望。

正当他们一筹莫展的时候，悠长、伤感、如泣如诉的优美琴声又响了起来。尤比特立刻听出来，那曲调跟上次的一模一样。

尼克和薇姬吃惊地停下脚步，呆住了。他们感觉有

股冷气吹过，浑身起满了鸡皮疙瘩。

爱德特劳德合拢双手放在肚子上，满含热泪地仰望着楼上，和着琴声轻轻地唱起了一首歌："勇敢的露易瑟，哪个姑娘也比不上她。她多么美丽，多么优秀，露易瑟善良又勇敢。所有人都知道，没有冰雪比她聪颖，没有火焰比她热情。"

爱德特劳德的歌声结束了，小提琴的演奏却还在继续。那个幽灵演奏家不断地重复着最后的两句，好像唱片被卡住了似的。

"我们是不是应该……应该上去看看？"尤比特犹犹豫豫地提议，他的声音小得几乎连自己都听不到。

"当然。"薇姬说着已经踏上了楼梯。尼克迟疑地跟在她身后，而尤比特则心有余悸地跟他们保持着距离。

琴声穿透音乐室的门不断地飘出来，薇姬弯腰扒着锁孔使劲地往里看。

"你看见什么了?"尼克在一旁着急地问。

"什么也没看见!"薇姬嘟囔着说。她用手去推门,却突然大吃一惊,向后退了一步,只听那门砰的一声自己又关上了。

"怎么了?"尤比特关切地问。

薇姬喘着气说:"好像有人在里面抵着门,把门又关上了!"

"让我来!"

尼克把薇姬推一边,握住门把手。同样,他也大吃一惊地举起了双手,然而那门却自动打开了,像是有人从里面为他们拉开了。

阁楼里没有一个人。琴声却更响亮了。

尤比特还远远地待在后面,他已经没有兴趣跟那个幽灵亲密接触了。尼克,这个一向爱搞恶作剧的家伙,为了在姐姐和表哥面前显示自己,第一个迈进了房间。

看不见的弓剌啦剌啦地拉在看不见的琴弦上,无休无止。

尼克又向里迈了一步,薇姬紧跟着他也走进了房间。他们都被这演奏小提琴的神秘幽灵深深吸引了。

尤比特紧张地咬着下嘴唇,他虽然看不见却能清晰地感觉到空气中的异样。有什么突如其来的事情将要发生,可是他不知道,究竟是什么事情。

是幽灵，还是人

"小心！"尤比特警告道。

薇姬惊讶地转身看着他，尤比特向半空中指了指，薇姬也意识到了即将到来的危险，猛地拉着尼克的夹克衫把他拽到身边。

再晚一秒就来不及了。花瓶被人奋力扔过来，哐当一声砸到地板上，四分五裂。它的力量那么大，碎片甚至飞出敞开的门，落到楼梯上。

爱德特劳德站在那儿，用双手捂住脸。

尼克结结巴巴地道着歉："我们……我们没动它。一定是'他'……是他在房间里。"

女管家平静地摆了摆手，说："它终于摔掉了。迪奥索斯先生从来不看重这只花瓶，它是一次音乐会演出的礼品。他一直没把它放在心上，只是随意地放在一个托盘上。"

"哦，这回他倒将它派上用场了。"尤比特悻悻地说，"他好像不惜采取各种手段要吓退我们。电话亭里刺耳的琴声，变得疯狂的耗子，幸亏猫出现了，我们才不至于被耗子追，现在又用这花瓶砸。"

"我们这就出去！"薇姬在空荡荡的房间里对着空气喊。

小提琴的琴弦上发出两个重重的和弦，听起来就像有人在说："很好！"之后，一只看不见的幽灵的手把门关上了。

当惊恐小虎队的成员们告别女管家，回到大街上的时候，尤比特问他的朋友们："我们没对这位迪奥索斯先生做过什么，他的鬼魂为什么对我们那么生气呢？我觉得我们没做错什么呀。"

尼克和薇姬也想不通个中缘由。

"我得去找易菲克斯先生，"尼克宣布说，"今天他要实验一种新的舞台电光效果，他答应我可以去参观的。"说完，尼克飞身骑上自行车，不一会儿就消失在下一个拐角处。

"西尔伯格根本不应该是真正的继承人。"尤比特对薇姬说。

薇姬吃惊地望着他："你说什么？"

"西尔伯格不是真正的财产继承人。"尤比特重复了一遍，"我现在还没有证据可以证明这一点，可是，我的直觉告诉我了。他肯定篡改了遗嘱。我猜，迪奥索斯的鬼魂每天在房子里拉琴，是为了恐吓他的侄子，搅得他不得安宁。而西尔伯格一直忍受至今，只是因为他想把那把价值连城的小提琴搞到手。"

"小提琴也许……"薇姬顺着尤比特的思路说，"那个利用电话亭跟我们取得联系的幽灵根本不是迪奥索斯，而是另一个人，另一个同样觊觎小提琴的人。"

尤比特的眼睛突然亮了起来。

"这就对了！迪奥索斯一定以为，我们是在为那个不应该得到小提琴的人找琴，所以才要想方设法阻止我们！"

"那个人是不是西尔伯格？"

"西尔伯格？他怎么可能会利用尼克的恶作剧，让我们落入他的圈套呢？"尤比特缓缓地摇着头，不，他真的不敢相信会是西尔伯格。

"是幽灵，还是人，这真是个问题。"薇姬若有所思地自言自语，那腔调就好像舞台上的演员念台词一样。

城市剧院是一座宏伟的建筑，远远望过去像一只蹲坐在窗台上懒洋洋晒太阳的猫。尼克径直跑到剧院的侧面，那里有一个供演员、演奏家和舞台技术人员出入的后台入口。

提徒斯·易菲克斯的王国位于舞台一边，一扇厚厚的铜制门将这里与外面隔开。易菲克斯在这里储藏着各式各样功能不同的特制火药，有的能喷出火舌，有的能制造出火球；而有的则用作家用燃料，还可以营造出电闪雷鸣的效果。一个结实的金属柜里，易菲克斯放置着喷云吐雾的机器和巨大的产生风暴效果的鼓风机；还有投影仪，工作人员利用投影仪可以在舞台布景上映上群魔乱舞的影子。

尼克推开沉重的大门，里面非常昏暗，角落里传来刺耳的吱吱声。

"嗨！易菲克斯先生！我来了，我是尼克！"尼克喊道。

黑暗的角落里有个人直起身子。一眼望去，那个人的怪模样吓了尼克一跳。只见那人有一双大大的眼睛，一根粗粗的吸管从嘴巴里伸出来。尼克定睛一看，原来是戴着面具的易菲克斯，这才松了一口气。

"你好，尼克，我年轻的朋友！快进来吧！"这位制造舞美效果的专家向尼克打着招呼，他摆摆手让尼克走近点，说，"我正在准备一个火焰喷泉，喷出的不是水，是火花。"

尼克看到他将一些小小的弹珠和一些钢丝绒塞进一支短金属管。易菲克斯全神贯注地摆弄着他的工具，不时皱起眉头，尼克没有打扰他，在一旁静静地观察。

突然，尼克好像想起了什么。

他闭上眼睛，又猛地睁开，眼前的这张脸与……尼克为了看得更清楚，慢慢蹲下身子，仰面看着易菲克斯的脸。

"我……我今天……看见过你！"尼克忍不住脱口而出。

易菲克斯放下手中的工作，惊讶地摇了摇头。

"在大街上？面包房？你在哪儿看到我了？"

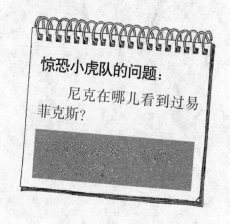

惊恐小虎队的问题：

尼克在哪儿看到过易菲克斯？

火钳

尼克决定先试探试探易菲克斯。

"您……您把电话亭那边的机器拆走了吗?"尼克小心翼翼地问。

易菲克斯一边不停地往金属管里塞东西,一边点了点头,"对呀。你的恶作剧效果如何?你是不是把你的朋友们都镇住了?他们是不是对你佩服得五体投地,拥戴你为他们的国王了?"

"哦……那个电话……那个声音不是我的,是另外一个完全不同的声音。"

易菲克斯抬起头,脸上显露出非常不解的表情:"什么?我真的感到很意外,怎么可能呢?"

尼克耸了耸肩膀。

"那你,我尊贵的王子,你能确定,那个电话真的是来自鬼域吗?"易菲克斯问。

"有可能。幽灵有时候会利用这种机会跟人类取得联系。那个声音……那个声音对我们说……"

"说什么?"易菲克斯着急地催尼克赶紧往下说,"快说呀,我尊贵的客人!"易菲克斯先生说话的时候总是喜欢加上些繁琐的矫饰词语,好像在一出古典戏剧中念台词一样。

"它……透露了……透露了一把昂贵的小提琴的藏身

之处!"

　　易菲克斯吃惊地瞪大双眼，粗粗的金属管从手上滑落下来，骨碌骨碌地滚到地面上，里面那些填充的颗粒撒出来，弄出一道黑黑的痕迹。

　　这时候的提徒斯·易菲克斯像完全变了一个人，他激动地跳起来，一把扯下脸上的防护面具。

　　"你们……你们知道了……那个鬼……他告诉你们了……你们没有听见我……"说到这儿，他意识到自己已经说漏了嘴，赶紧咬住嘴唇，然而太晚了，他已经收不回去了。

"是你在电话上安装了另一套装置，然后打发我们去帮你寻找小提琴。"尼克轻声说。

"什么？你不是说……他没告诉你们小提琴藏在哪儿吗？"易菲克斯红着脸说。

尼克知道，自己最好得赶紧离开这里了。

"站住！别动！"易菲克斯大声命令道。

尼克迅速向大门跑过去。他听见大门先是发出一阵嗡嗡声，随后啪嗒一声关上了，尼克跑到门边怎么也拉不开了。显然，易菲克斯摁下了大门自动开关的按钮。

"现在我倒要看看，你在这儿能耍什么把戏？"刚才还一副和蔼可亲模样的人这时候突然变成了一脸奸相的恶魔，他双手叉腰，像准备攻击的野兽一样低下头，威胁地向尼克走过来。

其实，易菲克斯就是迪奥索斯先生的另一个侄子。他像西尔伯格一样对那把价值连城的小提琴垂涎三尺。认识尼克以后，尼克给他讲述了他们惊恐小虎队的事情，于是易菲克斯就计划利用这三个小伙伴的聪明机敏帮自己寻找那把琴，所以设计了那个缜密的圈套。

"他并没有告诉我们！"尼克惊慌地说。

事后尼克才意识到，这次无谓的辩解有多么愚蠢。尼克虽然用这个借口使易菲克斯暴露了自己丑恶的真面目，可是也激起了他的欲望。现在再否认知道小提琴的去向，对易菲克斯来说无疑是"此地无银三百两"了。

易菲克斯已经完全被贪欲冲昏了头脑，为了得到宝物，他已经准备好不惜一切。这一点从他疯狂的眼神中表露无遗。

尼克背倚着紧锁的大门，无助地盯着慢慢逼近的易菲克斯。这穷凶极恶的家伙顺手抄起一把长柄火钳，咔嚓咔嚓地摆弄着越来越靠近。

"这把钳子是中世纪剧目里常见的道具，"他狞笑着说，"被用在审讯室里，通常一些粗糙的道具都是用硬纸板做成的；然而这把，却是来自一间真正的审讯室。你知道，它是干什么用的吗？"

尼克知道这样的一把钳子是干什么的，但为了拖延时间，他假装不明白地望着易菲克斯。

"人们用这把钳子把说谎者的舌头夹出来！"易菲克斯咬牙切齿地说，"不过，我敢打赌，人们也可以用它使人开口说真话。"

"老老实实站着别动！现在，你告诉我，快说，小提琴藏在哪儿?!"易菲克斯迫不及待地催促道，"你们三个小家伙能接收到幽灵发出的信号，我知道，我昨天也看见了，我叔叔的鬼魂出现在你们身边。"

说着这些话，易菲克斯来到尼克面前，他侧身靠着门，拿着火钳威胁地在尼克脸前挥来挥去："你还有最后的机会，否则……"

可是尼克能说什么呢？撒谎吗？自己编一个藏琴的地点？虽然看起来这很容易，可是一旦被易菲克斯察觉，他肯定会恼羞成怒的。他对千万财产的渴求已经超越了一切，什么事都做得出来。

"我数一二三，"易菲克斯吼叫道，"一，二……"

尼克惊慌失措地张大了眼睛和嘴巴。幸好他马上想起来易菲克斯手上拿着的火钳，赶紧把嘴巴紧紧地闭上。然而，他恐惧的眼神却突然转移到了易菲克斯身后，盯着微弱的一点火星。

易菲克斯却嘲讽地笑了，"我还没有糊涂，这种愚蠢的伎俩还想让我上当?! 你装模作样的，想让我回头看身后有什么情况发生，然后趁我转身去看的时候突然溜走。哈哈，我看得远，知道你这脑袋瓜里的如意算盘!"

"在那儿……可是……你看……"尼克结结巴巴地说。

易菲克斯干笑着，怜悯地看着尼克："小东西，即使是充满悲剧色彩的骑士，你也该有点骑士精神嘛，我帮你设计恶作剧，你就应该帮我找小提琴。"

尼克看到迪奥索斯的鬼魂在易菲克斯身后露出愤怒的表情，他在地板上迅速地跺着脚，一道闪着微光的光环从头上缓缓下移，随着每一次跺脚，光环越来越亮。

他想干什么？他难道想放火炸掉这个储藏着各种火

药粉末的火药库吗?

"小心! 不要! 一切都会被毁灭的!"尼克喊道,然而他的声音却被易菲克斯疯狂的大笑淹没了。

光环越来越窄,当它顺着迪奥索斯细瘦的裤管下滑的时候,越来越收紧。幽灵加快步点,光圈通过像压力喷嘴一样的脚尖被挤压出来!

一点明亮的火花飞溅起来,点燃了那些撒在地上的粉末,火苗顿时像燃烧的跳蚤一样蹿了起来。火焰迅速蔓延,沿着金属管留下的痕迹向易菲克斯站的地方扑过来。当一心只想着得到小提琴的易菲克斯闻到燃烧的气味的时候,已经太晚了。

金属管中喷射出的火焰越来越多,越来越密集,最后形成那所谓的火焰喷泉。火焰喷到易菲克斯的屁股上,裤子着起火来。

易菲克斯尖叫着,胡乱拍打着自己的屁股,像只山羊似的一蹦一跳地穿过仓库,向一个墙角奔去。

墙角准备着一只装满水的消防水桶,易菲克斯狼狈地一屁股坐进去,传来一阵咝咝声。

尼克此时唯一想的就是:赶紧从这里出去!

可是,大门开关在哪儿呢?

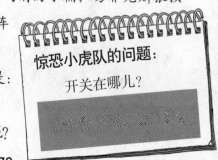

惊恐小虎队的问题:

开关在哪儿?

寻找

尤比特不停地搅着锅里的面条酱，浓汁咕嘟咕嘟地冒起气泡，不时炸裂开，发出扑哧扑哧的声音。薇姬坐在鹰堡厨房的餐桌边一心一意地嚼着口香糖。而尼克则蹲坐在窗台上向他的朋友们讲述在剧院发生的事情。

"原来，那个易菲克斯就是从鬼域打电话来的人。"薇姬愤愤地嘟囔着。

尤比特尝了尝酱汁，又被烫了一下舌头。他说："我们也不应该对他生气，毕竟是他给我们线索，才有了这次神奇的体验。"

"迪奥索斯误以为我们是为他工作的，"薇姬推断说，"所以对我们有敌意。"

尼克赶走蹲在肩膀上的可可，说："好在他现在已经知道了真相，否则也不会从疯狂的易菲克斯那里把我救出来了。"

"两个贪婪的侄子和一把消失的小提琴。"尤比特喃喃地说。他的思绪已经完全从红色的面条酱上飘走了。

"一个固执地在自己的旧房子里显灵的幽灵，偏偏在演奏那把乐器。"薇姬补充道。

"他演奏的是爱德特劳德最喜爱的曲子，却在遗嘱中没留给她一分一毫。"尤比特突然激动地用汤勺指了指尼克，红色的酱汁溅到了尼克的脸上。

"谢谢了，给我吃面条酱，不过我还是更喜欢面条。"尼克面无表情地说。

"很明显，遗嘱是伪造的！"尤比特似乎没听见尼克的冷嘲热讽，大声说出自己的结论，"而且，西尔伯格就是伪造遗嘱的骗子！本来易菲克斯也想这么干的，却不想被西尔伯格抢了先，所以他非常生气，因为他连那栋房子都没有得到。"

"迪奥索斯肯定在死前预感到了这一切，所以悄悄地把小提琴藏了起来！"薇姬顺着尤比特的思路推理说。

尤比特点了点头，说："我就是这么想的。而且，真正的遗产继承人应该是爱德特劳德。"

"可是，没有遗嘱就证明不了这个！"薇姬重重地叹了一口气，将口香糖吐出来粘在耳朵后面。

"如果，真正的遗嘱被藏在了小提琴里呢？"尼克忽然开口说道。

"没错，肯定就是这样的了！"薇姬和尤比特不约而同地转向尼克，激动地说。

接下来的这顿面条就没什么可描述的了，因为本来好好的番茄酱已经被煮煳了两次了。

当尤比特一行站在崔儿街那栋别墅外的时候，天已经黑了。

尤比特用手指摁下门铃。丁零当啷的铃声响了很久，爱德特劳德才出来开门。她穿着晨袍，胸前露出一角白色钩花的睡衣。

"你们有事吗？"她站在门边问。

"我们发现了一些重要情况，我们能进去吗？"尤比特露出他屡试不爽的真诚的微笑。

这一次也不例外。开关嗡了一声，大门自动弹开了。

门厅里，爱德特劳德扣上晨袍的扣子，紧了紧腰带，略带歉意地解释说："最近我真的是太劳累了，所以今天一早就睡下了。"

"您无论如何得坐下来，"薇姬说，"我们必须告诉您一些重要的事情，跟您有关。"

女管家把他们领进厨房，打开灯，然后煮了一壶可可茶。最后，她挨着惊恐小虎队的成员们坐在了桌子边，面带关切的表情看着他们三个。

薇姬和尤比特你一言我一语地叙述了他们的经历和推断，然而，跟预料的一样，爱德特劳德不敢相信这些话。

"可是……我真的想不通，他能把小提琴藏在哪儿，"她揉搓着手里的手绢，六神无主地说，"他最后一次演奏后，情况就非常不好了。半个小时后，他昏倒在躺椅上，然后就再也没能醒过来。迪奥索斯先生毕竟已经九十多岁了呀。"

薇姬轻叹了口气，说："也许他本来想告诉你小提琴

藏在哪儿的，但是来不及了。"

尤比特点了点头，说："所以他的鬼魂又回来了，就是要通知你藏琴的地方。"

话音刚落，从楼上的音乐室又传来优美的小提琴声。还是尤比特熟悉的旋律，他都能跟着哼唱了。

"您说过，这是您最喜爱的曲子！"尤比特突然想起来。

爱德特劳德点了点头，欣慰地拉扯着头上花白的小发卷。

"您是不是在一个特别的地方唱过这首歌，而迪奥索斯先生刚好路过听到了？"尤比特问。

女管家想了想，却还是摇了摇头，她实在想不起来在什么特别的地方唱过。

"这首歌是不是在哪个方面把您和迪奥索斯先生联系在了一起？"薇姬像电视侦探片里的探员一样提问道。

"有时侯，当他练琴的时候，"爱德特劳德说，"结束练习之前，他喜欢演奏这首曲子，我通常在厨房里跟着琴声唱。迪奥索斯先生是个那么勤奋的人，他每天都不中断练琴。"

尼克不好意思地微笑着插嘴，"妈妈多么希望我们也能这样啊！"

乐曲已经结束了，然而琴声却没有停，仍旧不断地重复最后两句，爱德特劳德轻轻地跟着哼唱：

"……
所有人都知道，
没有冰雪比她聪颖，
没有火焰比她热情。"

琴声飘散在房子里，越来越小，越来越小，最后终于消失了。

厨房里的人又陷入了沉思。

突然，猛烈的关门声打破了这里的安静。爱德特劳德吃惊得蹦了起来，手捂胸口，紧张地说："哦，我的上帝啊，是西尔伯格先生！他回来了！我还以为他到明天早上才能回来呢！"

"我们赶紧离开这儿！"尼克跳起来，去开窗户，可是，窗户被铁栅栏封上了。

"待在这儿别出去，保持安静，"爱德特劳德说着把他摁回到凳子上，"他从来不进厨房。过一会儿，他上楼以后，我放你们出去。"说完端起可可茶，走进了门厅。

"西尔伯格先生，您回来了，真是意外。"惊恐小虎队的成员们听到女管家说。

"你这就要上床睡觉吗？你的活儿还没干完哪！"那位骗子侄子对管家怒吼道。

爱德特劳德小声地问："需要我给您拿点什么吗？"

"热葡萄酒，外面真是冰冷。"

尤比特和薇姬惊讶地对望了一眼：秋天的夜晚虽然有点凉，但是也不至于冰冷呀。

"也许，他感觉到了叔叔的阴气。"尼克小声地说。

薇姬突然用一只拳头击了一下另一个手掌："我知道了！我知道小提琴藏在哪儿了！"

惊恐小虎队的问题：

小提琴被藏在哪儿？

真正来自另一个世界的电话

惊恐小虎队的成员们听到西尔伯格先生走进会客厅，开始挪动起家具。

尼克半信半疑地看着姐姐："你怎么知道？"

"那首歌的最后一句，你想想歌词！"

"……没有冰雪比她聪颖，没有火焰比她热情！"尼克恍然大悟，"我们得赶紧告诉她。"

"我再想想，"西尔伯格的声音穿透墙壁传过来，"不要红酒了，给我拿双份的威士忌，还有，把壁炉烧上！"

惊恐小虎队的三个成员几乎同时蹦起来："不要！"

不行！不能点燃壁炉！否则那价值连城的小提琴会付之一炬，或许还有一份真正的遗嘱也会随之永远消失！

"我们必须去客厅提醒爱德特劳德！"薇姬焦急地说。

"可是，那样西尔伯格也知道了。眼下这房子是属于他的，他肯定也要抢回小提琴的所有权！"尤比特提醒说，"他如果把遗嘱毁掉就没有证据了。"

尼克把耳朵贴在墙上，仔细地边听边报告说："她在往壁炉里搬木头。"

薇姬和尤比特着急地搓着脸，现在怎么办？怎么办？

"她在划火柴！"尼克说。

这场灾难有办法避免吗？

就在这时候，门铃响了。

"去开门！"西尔伯格粗暴地命令女管家。爱德特劳德跑去开门，惊恐小虎队的成员们听到她说，"晚上好，易菲克斯先生！"

尼克发出一声痛苦的呻吟，他也来了！现在屋子里有两个恶棍！

"唉！"尤比特懊恼的叹息声穿过紧挨着门厅的厨房门。

爱德特劳德听到了。

不幸的是，正准备在门厅脱大衣的易菲克斯也听到了。他往厨房的方向看了看，嘴角露出一丝狡猾的微笑。

"还有谁在这儿？"

爱德特劳德拦住易菲克斯，却被他一把推开。西尔伯格从会客厅走出来，咆哮着说："你来这儿干吗？我没邀请你来做客！"

易菲克斯并不理会，踢开厨房门，拽着尤比特的衣领把他拖了出来。尼克和薇姬见此情景，也自愿地走出门，他们无论如何都不会扔下尤比特不管的。

看到这三个人突然出现，西尔伯格的眉头皱得更高了，额角暴起青筋。他转向爱德特劳德，手指指向空中，气急败坏地大喊："滚！你给我滚！"

"等等，桑德罗，马还要留在马厩里，让她留下。"易菲克斯平静地说，"别小看这三个小家伙，虽然年纪不大，本领却不小。他们知道小提琴藏在什么地方。"

"什么？"西尔伯格叉开双腿，气势汹汹地站到三个人面前，"是真的吗?!"

三个人沉默不语。

"你看，他们默认了。"易菲克斯说。

"跟他们一起到客厅里来！"西尔伯格做了个霸道的手势，咄咄逼人的目光像一根细长冰冷的铁钉。

爱德特劳德趁此机会正想偷偷溜走，却被西尔伯格叫住了："蠢婆娘，把壁炉点着！"

女管家唯唯诺诺地鞠着躬，跟在众人后面走进会客厅。

薇姬、尤比特和尼克开动脑筋，焦急地想着如何不动声色地提醒爱德特劳德的办法。

爱德特劳德跪在壁炉前，刺啦一声，火柴头划过磷面，一束小火苗吱吱地烧起来。

爱德特劳德把点燃的火柴放在劈柴下的油毛毡边上停留了一会儿，正常情况下，油毛毡马上就会猛烈燃烧。

尼克、薇姬和尤比特着急得几乎喘不过气，他们是否应该不再顾及后果，直接阻止她，告诉她真相呢？

可是，怪事发生了：紫色的小火苗逐渐减弱，变成

蓝色，继而熄灭了。爱德特劳德无奈地叹了一口气，重新从火柴盒里拿出一根火柴。

"你们，你们这些坏东西!"提徒斯·易菲克斯开口道，"最好你们开个价，告诉我你们知道的情况。如果你们执意要冒险的话，恐怕就只能吃苦头了。"

"你们胆敢动我们一根头发，就等着警察来收拾你们吧!"薇姬大声说。

易菲克斯同情地对她笑了笑。

"警察? 不要你操心! 我难道还能怕了你不成!"

突然，客厅里的电话铃响了。

易菲克斯监视着这三个勇敢的小伙伴，西尔伯格走到电话机前，拿起听筒。

"谁呀?"他非常不友善地问。

打电话的人声音很大，从听筒里传出来的怒吼声充斥了整个房间，这声音无形、飘忽，好像来自另一个世界:

"骗子!"

西尔伯格懊恼地想挂断电话，没想到，听筒竟牢牢地粘在了他的手上! 他厌恶地甩着手，好像要甩掉剧毒毒药一样，可是，听筒却纹丝未动。

电话线插口里好像发生了短路似的，哧哧地冒出一串电火花，蓝色的火星顺着电话线，缓缓地爬上来。

西尔伯格使出浑身解数甩着手上的电话听筒。他撞击椅子、书柜，快速地转圈，甚至弯下腰用脚踩着听筒，同时手往上使劲地拔。

可是，都没有用。蓝色的电火星从头到脚地包裹了他。

一股头发被烧焦的臭味散发出来。

一声闷响，西尔伯格倒在沙发上，失去了知觉。

易菲克斯和惊恐小虎队的成员看到眼前发生的一切都惊呆了。但很快，易菲克斯就回过神来，一步步地向尤比特他们逼过来。

来自另一个世界的力量

"是你们干的吧? 难道你们还要推脱责任吗?"易菲克斯自以为是地说。

"什……什么?"尤比特疑惑不解地说。

"还装糊涂! 你们改装了电话, 然后利用录音伪装成一个外来的电话, 哼哼, 还是借鉴我的创意!"

一个低沉和响亮的声音在房间里回荡:"不是!"

这声音仍旧是从电话听筒里传来的! 易菲克斯转过身, 目瞪口呆地盯着电话机。

"恶棍!"那幽灵一般的声音骂道。

尼克趁着易菲克斯发愣的机会, 鼓起勇气, 缓缓地向壁炉退去。薇姬和尤比特立刻理解了他的意图, 肩并肩紧紧地靠在一起, 挡住易菲克斯的视线。

当尼克爬到壁炉前, 伸长脖子往烟囱里张望的时候, 爱德特劳德也回过神来。尼克钻近烟囱, 用手指轻轻地敲击墙壁, 然后把手伸出来。女管家明白了, 把火柴盒放进尼克的手心。

尼克小心地划着一根火柴, 借着微弱的亮光他看到一个长长的盒子, 用破烂的布缠绕着, 从形状上看显然正是小提琴。

"那个小东西跑哪儿去啦?"尼克听见易菲克斯大声

嚷嚷道。

尼克在壁炉里发现靠近顶部的地方左右各有一个金属把手，他灵机一动，抓住把手，同时把腿抬起来，这样从外面就看不到壁炉里的他了。

"他去哪儿了？"易菲克斯怒吼说。

薇姬和尤比特挤作一团，浑身颤抖着像两片秋风中的树叶。

"够了！话已经说得够多了，看来，只能跟你们动真格的了！"易菲克斯说着从壁炉的工具盒中拿起一把火钳，不给薇姬躲闪的机会，猛地夹住了她的鼻子。

"快说，趁你的鼻子还在你脸上的时候快说！"

"你放开薇姬！"尤比特大喝一声。

"你要再出一点声，我就用力夹了！"易菲克斯威胁道。对昂贵小提琴的贪婪已经把他变成了凶残的恶魔。

尼克在壁炉里紧张地思索着，他该怎么做呢？他不能眼睁睁看着自己的姐姐身陷恶魔手掌而无动于衷，他难道应该把小提琴拱手交给外面这已经灭绝人性的疯子吗？

薇姬张大嘴呼哧呼哧地喘着粗气，为了减轻一点疼痛，她轻轻地转了一下头，这样也不至于让易菲克斯伤到自己的鼻梁骨。

忽然，尤比特看到地上的电话听筒缓缓地飘了起来。一开始，他还不敢相信自己的眼睛，但是，他立刻就明白了，暗暗地为音乐家的鬼魂鼓劲加油。

幽灵似乎已经很疲倦，他好像正努力积蓄着从另外那个世界带来的最后一点力量，把听筒升起，升起。缓慢地、颤抖地，但是带着一种使命。对迪奥索斯来说，这次好像是最艰难的任务了。

易菲克斯嘴角露出残忍的狞笑。"你们这些该死的小浑蛋！"他骂骂咧咧地说，"小提琴是我的！那个无赖桑德罗想把它据为己有。他伪造了遗嘱，他才是不折不扣的骗子！他已经得到这房子了，至于小提琴，就别做梦了！"

眼看着火钳的长嘴就要夹下去，薇姬竭尽全力发出鼾声一样的惊呼。尼克再也忍不住了，抱着琴盒从壁炉里蹦了出来。他无论如何都要阻止姐姐即将遭受的更大的痛苦。

就在这千钧一发的时刻，电话听筒从天而降，重重地砸在易菲克斯的脑袋上。那恶棍翻着白眼，嗷的一声，昏倒在地板上。

他躺在那儿，就像恬静地入睡了一样，手里还握着那把火钳。

薇姬的鼻子得救了。

"薇姬！"尼克冲动地向姐姐跑去，兴奋地拥抱着姐姐。而他的姐姐却气恼地甩开他，嘟囔着："别老这么小孩子气！"

194

尤比特接过包裹，打开缠在上面的布，一只深棕色皮质琴盒出现在大家眼前。

爱德特劳德欣喜地拍了一下手，说："就是它！迪奥索斯先生的琴一定在里面！"

她虔诚地摁开两个锁扣，掀起琴盒，小心翼翼地抚摩着那把珍贵的小提琴。

"我怎么看着跟普通的小提琴也没什么两样呢。"尼克终于看到这神秘乐器的时候，失望地说。

"可它的声音绝非普通。"爱德特劳德轻轻地说。

薇姬发现琴边藏着一张折叠的纸条，尤比特拿出来，展开……

如果幽灵打来电话

薇姬忽然觉得一阵难受，甚至喘不过气了。

"我……我得出去！"她指了指客厅的门，结结巴巴地说。

尼克和尤比特跟在她身后，问："你怎么了？"

"不知道，"薇姬说，"空气……我要新鲜空气！"

当她握住门把手的时候，一个刺耳的声音在身后响起来："关上门！回来！"

易菲克斯！刚才那次突袭显然并不很严重，此时，他已经苏醒了。

"不！"尤比特怀抱着琴盒大喊。

"给我！我就知道，你们这几个聪明的小家伙是值得信赖的。"易菲克斯嗓音嘶哑地说，双手贪婪地向尤比特伸过去。

尤比特充满期待地四处张望。迪奥索斯的鬼魂在哪儿？他现在怎么不采取行动了？为什么他不再阻止这价值连城的小提琴落入眼前这个恶棍手中？

易菲克斯毫不掩饰自己的丑态，满脸放光地从琴盒中拿出那把琴，轻轻地抱在胸前，喃喃地说："噢，我的宝贝！我终于找到你了，这样我就能把你卖掉。"

爱德特劳德和惊恐小虎队的三位朋友无奈地看着易

菲克斯从身边经过，向大门走去。

"如果我发现有谁跟着我，或者有什么小动作的话，我就把这琴摔了，谁也得不到它。你们老老实实的，或许我大发慈悲，会施舍给你们几个芬尼*。"

易菲克斯面带得意忘形的微笑转身去开门。

尤比特孤注一掷地一跃而起，向易菲克斯扑过去。他撞到易菲克斯的肩膀上，然后跌落倒地。易菲克斯大吃一惊，手一松，小提琴从手中滑落。尤比特顾不上疼痛，把手高高举起，在小提琴即将摔到地上的一刹那接住了它，而这时候，小提琴离坚硬的石头地板还不到十厘米。

别墅门前的台阶上站着两个警察，街边停靠着两辆闪着警灯的巡逻车。

警察为易菲克斯戴上手铐押上其中一辆警车。更多的警察来了，尼克向他们指认了已经苏醒过来的西尔伯格。

爱德特劳德纳闷地摇着头，说："可是，为什么……为什么警察会来？你们怎么知道？"

一个英气十足的年轻警察说："有人打了报警电话。我们都听说了这房子里发生的事，起因是一份伪造的遗嘱，然后……"

---

* 芬尼是德国货币单位。——译者注

199

女管家惊讶地咽了几口唾沫。

尤比特把小提琴重新放回琴盒，拿起一张折起的纸递给那位警官，说："请您好好保管这个，好吗？这是真正的遗嘱，上面说，爱德特劳德女士才是这房子和小提琴的继承人。"

警察离开以后，爱德特劳德坐在沙发上不停地用手扇着风："可是，究竟是谁打的报警电话呢？"

惊恐小虎队的成员们当然能回答这个疑问。他们知道，这不仅是个真正来自鬼域的电话，而且打电话的也是一个真正的幽灵。

"当然，你们三个小家伙会得到应得的奖赏。"爱德特劳德许诺说。

惊恐小虎队的成员们满意地笑了。

几个月后，报纸上报道了对两个骗子侄子的审判结果；同时还描述了一个奇特的谁也无法解释的现象：他们一直紧闭双眼，手捂耳朵，好像要阻挡一个巨大的噪声似的。

"倒也不完全是什么噪声。"尤比特看到报纸上的照片，露出得意的微笑。他决定把报纸拿到下一次的惊恐小虎队聚会上，因为他们又会有新的任务了……

惊恐小虎队

杂志

来自鬼屋的电话

　　有一位女生在一栋神秘的鬼屋里失踪了。不久之后，我们惊恐小虎队接到了一个奇怪的电话：打来电话的人声称我们应该立即去拯救那位女生！

　　这栋神秘的鬼屋是施泰因伯爵的古宅。施泰因伯爵最喜欢做的事情是吓人。曾经有三个人消失在他的古宅里。据说，施泰因伯爵把失踪的人变成了怪物。可是，大约100年过去了，从来没有人看见过施泰因伯爵。现在难道是施泰因伯爵再次归来了吗？

施泰因伯爵发生了什么事情?

　　在一个神秘的夜晚，施泰因伯爵突然消失了。请问他到底发生了什么事情呢?

请在你认为正确的选项里打钩。

☐ 他逃到一个神秘的地方隐居了。

☐ 他掉进了自己设计的陷阱里。

☐ 他从来没有存在过。

☐ 他被人从坟墓里挖走了。

尤比特说怪物

没有脸的女人

她出现在英国东海岸的一个沼泽地里。她总是戴着一顶破旧的帽子——一顶宽檐的女帽。她既没有头也没有脸。

尖叫的脑袋

一个没有身体的脑袋出现在谷仓里。它不停地大声尖叫，预言农夫最小的妹妹将要死去。在同一天，农夫的小妹妹果然淹死了。

尖叫的死人头

它保藏在英国的一顶玻璃罩里，总是会发出刺耳的尖叫声，紧接着还会从头骨的缝隙里流出鲜红的血液。

灰色的男人

他生活在苏格兰海拔最高的山峰上。他总是突然出现在茫茫暮色中，吓唬毫不知情的登山者。

魔鬼火车

美国前总统亚伯拉罕·林肯遇刺身亡，装着他的尸体的棺材被放在一列火车里。这列火车曾经在美国各地行驶，现在仍然时常出现。这列火车每经过一座火车站，火车站里的所有钟表都会停止。

3

"惊恐小虎队"装鬼绝技

魔鬼来访

告诉你的朋友，你可以和魔鬼通电话。接着慢慢地坐下，拨出一个不存在的电话号码，然后装做一副集中精力的样子。最重要的是，房间里要有朦胧而昏暗的灯光。过了一会儿，魔鬼突然接起电话，并且回答你的问题。这绝对会让你的朋友吓一大跳。

绝技：取来一盒空磁带，先让它静静地播放一会儿，然后录入"魔鬼的声音"。讲话声音要低沉而缓慢，要空出提问的时间再给出可怕的回答。录好之后，把磁带倒回初始处。在朋友们到来之前，按下录音机的播放键。你必须事先算好，"魔鬼声音"应该在什么时候出现。好，现在快来试一试吧！

发臭的魔鬼

这一绝技只有在半明半暗的环境下才会获得应有的效果。

给你的朋友看一件又破又旧的衬衫，接着把衬衫放到他们的鼻子前面……不管你的朋友怎么想办法，魔鬼的臭味一直无法散去。

绝技：事先把半个切碎了的新鲜洋葱藏在衬衫里。

装满人骨的袋子

取来一个破旧的麻袋，声称你在麻袋里发现了几块真正的人骨，然后用石头把人骨砸碎。在砸骨头的时候，绝对会发出令人恐怖的声音！

绝技：麻袋里装的实际上是几块变得像石头一样坚硬的"8"字形面包。当然啦，别忘了在砸"人骨"之前给朋友们讲述一个关于古老墓地的惊悚故事。哇哇！

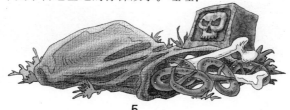

薇姬的离奇故事
真话或谎言？

蜥蜴蛋

世界上确实有蜥蜴蛋！不过，现在发现的所有蜥蜴蛋已经石化了。在纽约，人们曾经进行过蜥蜴蛋的拍卖活动。根据最新的研究发明，有一项技术可以帮助人们成功地孵化几百万年前的蜥蜴蛋。

死人谷

死人谷位于北美洲。山谷里的所有石头形状都非常奇怪，看起来就像死人的头颅一样。因此，人们把这一座山谷命名为"死人谷"。

最大的爆裂声

世界上最大的爆裂声来自一百多年前的克拉卡托岛的火山大爆发。这一次的火山爆发摧毁了整个克拉卡托岛。就连距离克拉卡托岛4800千米的澳大利亚也能听到火山爆发的声音，而连距离岛屿14500千米的美国加利福尼亚州也能感觉到火山爆发引起的地震。

谁在那里？

为了查明其他星球是否有生命存在，人类向宇宙发出了一个特殊的无线电信号。这一无线电信号将经过24000年才能到达目的地。

尼克讲笑话

我的姐姐薇姬今天穿了一件新裙子。她站在镜子前问:"魔镜呀魔镜,谁是世界上最美丽的女孩儿?"

魔镜回答:"让开!要不然我什么都看不见!"

"我可以模仿一切动物的叫声。你随便说出一种动物,我立刻模仿给你听。"

"好!那你快模仿一只油浸沙丁鱼的叫声给我听听!"

姐姐的大脑里到底在想些什么呢?

竟然在一张纸条上写了一个词语:大脑。

薇姬对我说:"你怎么能在一天之内做那么多的蠢事?"

我回答:"因为我起得比较早!"

怎样能够让薇姬的大脑变得像豌豆一样大?

方法非常简单:给她的大脑充气!

"你觉得我的新裙子怎么样?"

"它让我想到了水。"

"为什么?"

"哦,因为水也是没有形状的!"

"惊恐小虎队"指数

请在图中标出你的指数。

在这一起案件里,你的"惊恐小虎队"指数到底有多高呢?

8

幽灵捕手

　　幽灵捕手如何捕捉幽灵，而他们对幽灵又有什么样的看法呢……

尤比特说幽灵捕手

世界上真的有幽灵捕手!

在不同的城市都有专门寻找幽灵的组织,而该组织的人通常被称做"纺纱工人"。不过,实际上大多数的幽灵捕手都上过大学,而且他们掌握着许多科学知识。

幽灵现象

幽灵捕手从不使用"幽灵"一词,他们只说是灵异现象和灵异遭遇。有些幽灵捕手会使用盖革计数器——一种探测放射性粒子强度的仪器。不过,他们也会使用磁场测量仪或者温度感应器。

幽灵会在什么时候出现？

专家声称，幽灵一般常在午夜时分以及凌晨4点到6点之间出现。

幽灵并不是模糊不清的形象，而是灵异的光线和烟雾。没有人能够抓住幽灵，因为灵异的现象能够很快消散。

幽灵经常出现在哪里？

职业的幽灵捕手声称，幽灵最常出现在楼梯间里。有时候，人们虽然看不见幽灵的存在，但却能感觉到它散发出的冷气。

幽灵一般只停留非常短的时间。大部分幽灵的停留时间都不会超过10秒，只有少部分幽灵会停留大约一分钟的时间。

幽灵类型

幽灵捕手将灵异现象分为以下几种：

- 活人的幻象
- 死人的幻象
- 只在某个特定时间出现的幻象，如别人怀念死者的时候
- 预言不幸的幻象

真正的幽灵？

注意，据幽灵捕手所说，98%的灵异现象都有一个科学的解释：感官上的幻觉、沼气燃烧（如腐烂的木头自燃）、天气现象和光线反射等。

所以，千万不要惊慌！

"惊恐小虎队"装鬼绝技

飘浮

你想飘浮在空中吗？躺下来，盖上一块布，慢慢地浮起来。

绝技：在鞋子和裤腿上绑上木棍，身体往后仰倒，而假腿往前伸。在观众看见之前，事先在身上盖好一块布。

整个身体看起来像是伸展着躺在布料底下。现在慢慢地抬起身体，观众看起来你好像是飘浮在空中。

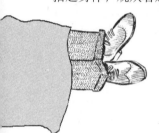

折断鼻子

停住，不是让你真的折断鼻子！

这只是一个骗人的招数——一个非常好玩儿的骗人招数。用两根手指夹住鼻子，猛地将鼻子拉到一边，看起来像是折断了一样。与此同时，鼻子会发出咔嚓的声音。你的朋友肯定会狠狠地吓一跳的！

绝技：当你假装要折断鼻子时，请用大拇指的指甲去敲击门牙，从而发出咔嚓的声音。

不过，要注意：千万别让朋友发现你的大拇指伸进了嘴里！请在镜子前多多练习！

薇姬的离奇故事
真话或谎言？

学校

美国发明家托马斯·阿尔瓦·爱迪生只在学校待了三个月的时间便退学回家了，因为他的老师说他是一个低能儿童。

牛奶

生活在800多年前的成吉思汗非常喜欢喝牛奶。为了便于运输，他命令士兵把牛奶晒干，并且磨成奶粉。骑马出行时，士兵把奶粉和水混合在一起，挂在马鞍上。不久之后，士兵便能喝上香喷喷的牛奶。

纽约

在纽约的下水道里，生存着一群白色的扬子鳄。愚蠢的游客把扬子鳄宝宝从佛罗里达州带到了纽约。等扬子鳄宝宝长大之后，他们便把这些可怜的动物冲进了厕所里。由于下水道里没有阳光，扬子鳄的肤色渐渐地变成了白色。

尼克讲笑话

尼克:"爸爸,明天有一个小型的家长会。"

爸爸:"什么叫小型家长会?"

尼克:"哦,就是参加家长会的人只有你和我的班主任!"

尤比和同班同学一起去参观博物馆。他对一个奥林匹克运动员的雕像印象非常深刻,雕像上缺了一只脚、一只手臂和鼻子。他凑过去看雕像的标牌,上面写着:"胜利者"。"哎哟!"他小声地嘀咕,"胜利者都断手断脚缺鼻子,那么失败者看起来得是什么样呀!"

"这一期的彩票我一个数字也没有买对!"爸爸失望地说。

"咳,没关系!"卢卡斯安慰爸爸,"我这一次的数学作业也是一个数都没算对!"

两个警察在体育馆里发现了一具尸体。"你来写报告?"一个警察问。"没问题!'体育馆'这个单词怎么写?"另一个警察说。"我也不知道!来,我们把尸体搬到邮政局去!'邮政局'这个单词我会写!"

尤比看了看手表:"哎呀,糟糕!我早该回家了!"尼克:"你现在最好别回,要不然你爸爸肯定生气!你等一等,等到天黑了再回去!到时,你爸爸肯定特别高兴你终于回家了!"

"惊恐小虎队"指数

请在图中标出你的指数。

在这一起案件里，你的"惊恐小虎队"指数到底有多高呢？